KB096602

발 행 | 2024-01-15

저 자 | 안나

펴낸이 | 한건희

펴낸곳 | 주식회사 부크크

출판사등록 | 2014.07.15(제2014-16호)

주 소 | 서울 금천구 가산디지털1로 119, A동 305호

전 화 | 1670 - 8316

이메일 | info@bookk.co.kr

ISBN | 979-11-410-6657-4

본 책은 브런치 POD 출판물입니다.

https://brunch.co.kr

www.bookk.co.kr

ⓒ 안나의 상하이 이야기 2024

본 책은 저작자의 지적 재산으로서 무단 전재와 복제를 금합니다.

안나의

상하이 이야기

안나의 상하이 이야기는

제가 가입한 카페 **뉴스사사** https://cafe.naver.com/loyaltylife 회원님들의 댓글에서 시작했어요. 상하이 봉쇄 동안 저는 카페에 안나의 일기를 썼어요. 처음에 띄엄띄엄 글을 썼는데 봉쇄가 길어지면서 매일 글을 쓰게 되었고 책 한 권 분량이 되었어요. 봉쇄가 풀려도 글을 계속 쓰라고 댓글을 달아 주셨어요. 봉쇄 후 상황도 궁금하고 다시 일상으로 돌아간 근황을 알고 싶다는 응원과 격려를 해 주셨어요.

봉쇄가 풀리면 저는 일상으로 돌아가고 다시 일개미처럼 집과 은행을 오고 가며 생활해야 하는데 글 쓸 시간이 있을지 확신 없었어요. 봉쇄는 풀렸지만 상하이 상황은 여전히 제로코로나였어요.

.봉쇄와 격리가 기간과 강도만 달랐지 반복되었어요.

4년 가까운 시간, 중국 제로코로나정책으로 얼마나 많은 사람들이 힘들었는지 고통받았는지 무게와 넓이만 달라요. 저는 상하이에 사는 소의 외노자(외국인노동자)예요. 내 나라 아닌 다른 나라에서 외국인으로 겪고 느낀 중국을 기록으로 남기고 싶어요. 언젠가 중국 **제로코로나**는 **대약진운동**,**문화대혁명**과 더불어 중국 근현대사 3대 비극이자 희극이 될 거예요. 아무 힘도 저항도 없이 그저 휩쓸리고 끌려가야 했던 보통사람들의 소소하고 소중했던 일상을 기록으로 남깁니다.

소중하고 귀여운 캐릭터,땅콩이를 그려주신 **보부장님**과

표지 디자인을 해 주신 **문정리님**께 깊은 감사를 드립니다.

여전히 제로코로나

드디어 **제로코로나**

피로스의 승리

여전히 제로코로나

1.나의 출근길-75일 봉쇄를 마치고

2022년 6월 2일

어제 오늘 손가락도 바빴고 발도 바빴고 머리도 바빴어요. 위만 한가했어요. 3월에 롱패딩 입고 퇴근했다가 6월에 반팔 입고 출근했어요. 상하이 봉쇄는 제 시간 중에 3월 18일 이후의 시간을 자르고 6월 1일을 붙였어요.

봉쇄 기간 내내 그렇게 걷고 싶었던 민항문화공원으로 갔어요. 공원 문 열었다고는 들었는데 실제 열렸는지 모르는 데 그냥 갔어요. 다행히 입장 가능하네요 장소마场所码라고 해당 장소의 큐알 코드 스캔하고 72시간 내의 핵산검사가 있으면 입장 가능해요.

공원 안은 3월 봉쇄 이전과 다르지 않네요.
오랜만에 만난 친구들과 사진을 찍는 사람들, 다시 시작된 마라톤 동호회 회원들이 모여서 플랭카드를 들고 환호를 하고 있어요. 어떤 내상이 남았을지 모르지만 겉으로 전과 같은 모습이에요.

상하이 최고의 빵집이라는 파스치노도 문 열고 스벅도 문을 열었어요. 봉쇄 전과 달라진 모습은 상설 핵산검사소에 검사를 받으려는 긴 줄이네요. 은행에 도착하자 제일 먼저 눈에 띈 것은 화분들이에요. 2달 동안 밀폐된 공간에서 쫄쫄이 굶고 화분들이 다 말라 버렸어요. 돌봐주는 사람 없었으니 당연한 결과였지만 마음이 아파요. 제 자리에 쌓인 먼지는 눈사람을 만들어도 될 정도이고 의자에 걸려있는 패딩 상의를 보고 깜짝 놀랬네요.

너 누구니..
익숙한 듯 낯선 듯

어색함과 친근함 속에서 업무를 다시 시작했어요.
보안프로그램은 그동안 업데이트 안 해 업데이트하라고 저를 재촉하고 시스템마다 장기 미접속으로 권한 삭제되었어요.

``여보세요, 제가 일부러 접속 안 했나요. 흥``

하루 종일 다다다 일하고 퇴근했어요. 한국마트와 한국음식점들이 모여 있는 홍췐루 쪽으로 걸어갔어요. 이번 봉쇄 대란에 **슈세권**이 새로 생겨났어요. 슈세권은 한국 슈퍼에서 배달을 받을 수 있는 거리를 말해요. 봉쇄기간 동안 슈세권 아닌 사람들은 서러웠다는 것은 안 비밀이에요. 비 슈세권에 살았던 서러움에 이제 필요한 물건도 없는 데 한국 마트 한번 쳐다보고 집으로 가요.

중국에서 한때 **허세권**이 유행했어요. 허마盒马가 배달해주는 거리를 허세권이라고 했어요. 허마가 처음에 등장했을 때 반경 3km 안에서 배달했거든요. 허마 배달이 가능한 지역이냐, 아니냐에 따라서 집값과 임대료가 오르고 내린다는 소리도 있었어요.
집으로 오는 길에 다시 일상으로 돌아온 사람들을 봐요. 친구들과 농구를 하는 아이들도 있고 그동안 못한 이발을 하기 위해서 미장원마다 문정성시이네요.

지하철도 운행하고 있고요. 사람들은 `얼음 땡`이라는 신호에 맞춰서 동작 정지했다가 다시 움직이는 놀이를 하는 것 같아요.
그동안 우리에게 사라졌던 일상은 아무 일도 없었다는 시치미 떼며 다시 돌아왔어요.

봉쇄 이전과 달라진 것은 이제 국룰이 된 72시간 핵산검사예요. 모든 건물과 대중교통 등 지붕이 있는 곳은 장소마라는 큐알코드를 스캔해야 하는데 72시간 이내 핵산검사 음성이라는 검사기록이 없으면 **삐뽀삐뽀** '소리가 나요. 자기 집에 들어가려고 해도 72시간 이내 핵산 결과가 없으면 못 들어가요. 봉쇄 안 하고도 봉쇄에 버금가는 **뉴 노멀 새로운 봉쇄** 정책이네요.

봉쇄 후 이틀 동안 제 느낌은 상하이 강제봉쇄라는 EMP폭탄 터뜨려서 오미크론 확산을 일단 막았어요. 시한폭탄 돌리기 미봉책이죠. 우리는 이미 코로나바이러스와 공존할 수밖에 없는데요. 오죽하면 전 세계 인류가 다 걸려야 끝난다고 할까요? 한국을 비롯한 다른 나라들은 위드코로나라는 아프고 힘든 어두운 터널을 지났어요.

중국은 제로코로나라는 어두운 터널에서 오미크론과 다른 변이 바이러스에 효과적인 백신과 치료제를 기다리고 있네요. 그 터널 안에 제가 있네요. **상하이 봉쇄**라는 초유의 사태가 휩쓸고 간 자리에 수많은 난제가 남았어요.

하지만 우리의 평범한 일상이

그 누구의 욕망보다 소중하다는 것도 분명하게 남았어요.

2. 지인이 차려준 밥상

2022년 6월 3일

6월 3일부터 5일까지 단오절 휴무예요. 미뤘던 일을 몰아 해요. 아침에 미장원 갔어요. 미장원까지 4km 정도 되는 데 천천히 걸어서 갔어요. 가면서 거리를 구경해요.

`어, 이 가게도 열렸네. 저 가게도 열렸네`

가게가 문 연 게 당연한 건데 신기해하며 걸어갔어요
아직 외출하는 게 어색해요. 애기가 배밀이 하다가 걷게 되면 힘들어 자꾸 배밀이 하려는 것 같아요.

베라헤어 혜진 쌤을 만났어요. 1월 31일에 왔고 4개월 만에 다시 만나네요. 선생님이 제 머리를 보더니 `어머나, 머리가 의욕을 상실했어요.` 하시네요. 머리카락도 격리에 지쳐 힘이 하나도 없나 봐요. 의욕을 상실한 머리카락을 선생님이 열심히 만져 다시 살려냈어요. 선생님께 그동안 어떻게 버티셨나고 했어요. 진짜 너무 힘들었다고 하시네요.

2달이 넘는 시간 동안 격리당하고 영업도 못하고 임대료와 직원들 급여를 감당해야 했던 자영업자들이 최대 피해자예요. 사람들이 미장원에 덥수룩한 모습으로 들어왔다 말끔해져 나가요 점심 때가 지났는데 계속 예약 손님이 있길래 점심 어떻게 하냐고 했어요. 그동안 일 못한 것 생각하면 이렇게 일하는 것이 좋다고 점심 안 먹어도 된다고 하시네요.

상하이 봉쇄가 남긴 상처는 이렇게 깊네요.

홍췐루 한인 타운으로 갔어요. 평소 심한 교통 체증으로 유명해 교통 헬이라 불리는 곳인데요. 예전 모습처럼 길이 막히는 게 반갑네요. 달라진 것은 장소마를 스캔해야 어디든지 들어갈 수 있어 사람들이 줄서서 스캔하는 모습이 여기저기서 볼 수 있어요. 지인 집에 가 폭풍수다를 떨고 만들어준 점심을 먹었어요. 저도 드디어 남이 차려준 밥을 먹네요. 봉쇄기간 내내 제가 만든 음식만 먹었거든요.

격리 기간에 따라서 새로운 신분제가 생겼어요.

4월 1일부터 격리한 사람들은 성골
3월 28일부터 격리한 사람들은 진골
3월 18일부터 격리당한 사람들은 육두품

격리 60일한 성골들은 격리 75일한 육두품 앞에서 말도 하지 말라고 농담해요.

발마사지집에 갔어요. 저를 마사지해주시는 마사지사님이 반겨주시네요. 봉쇄 기간 동안 급여가 없었다고 하네요. 마사지하시는 분들은 마사지하는 횟수와 시간에 따라서 급여를 받거든요
상하이 봉쇄의 상처는 이렇게 넓네요.

지금 미장원이고 마사지 집이고 사람들이 붐벼요.
사람들이 봉쇄기간 동안 못했던 머리와 마사지를 받기 위해서 몰리고

있어서 예약해도 기다려야 하지만 그동안 힘들었던 것을 생각하면 이해할 수 있어요.

봉쇄 해제 후 다시 하루만에 재 봉쇄되는 곳도 나오고 72시간마다 해야 하는 핵산검사의 불편함과 강제성은 여전히 우리들에게 거머리처럼 붙어있어요.

"우리는 아무에게도 사과와 위로를 받지 못했어요."

봉쇄 기간 동안 그리고 이후에도 우리에게 가해진 유무형의 폭력에 대해서 아무도 미안하다고 하지 않았어요. 상하이영사관이 봉쇄가 풀리던 6월 1일에 단오절 휴무 공지를 올렸어요. **상하이 교민들, 고생하셨습니다**라는 말 한마디라도 했으면 좋았을 텐데 휴무 공지만 올려서 교민들의 감정을 건드렸어요.

좋은 노래는 꼭 음정 박자 맞고 고음이여야 하는 것은 아니라 하네요. 부르는 사람의 감정을 전달할 수 있으면 음정 박자 틀려도 좋은 노래가 될 수 있다고 하네요. 한국 JTBC 예능 〈뜨거운 싱어즈〉에서 나문희님, 김영옥님의 노래가 음정 박자 맞고 고음이라 사람들이 공감하는 게 아니죠. 그 안에 진심이 있기 때문에 공감할 수 있는 거죠.

한국정부가 중국정부에 교민들을 위해 어떤 시도라도 했고 성공하지 못했더라도 우리는 받아들일 수 있어요. 라면 과자 나눠준 것으로 역할을 다했다고 말할 수는 없죠.

교민들을 위해 어떠한 노래도 부르지 않았던 한국 정부도 우리를 가뒀던 중국 정부도 아무도 우리에게 사과하지 않았어요.

집에 오는 길에 평소에 안 가봤던 길로 걸어가봤어요. 평소 출퇴근

시간에 쫓겨 익숙한 길로 걷기 바빴거든요. 걷다 보니 이런 곳을 지나게 되었어요.

배달 기사님들이 노숙했다는 이야기는 들었는데 실제로 노숙 텐트가 있네요. 봉쇄 기간 이분들이 배달해주지 않았으면 저희는 정말 식자재와 생필품을 구하기 힘들었을 거예요.

노숙하면서 배달해주신 기사님들이
우리에게 아무 말도 하지 않은 정부보다 더 고맙고 감사합니다.

택배 배달원이 다리 밑에서 노숙하는 모습

3.늦게 온 선물

2022년 6월 6일 월요일

3일간의 연휴를 마치고 출근해요.

아침 출근길

이제는 거리는 완전히 사람들과 차로 붐비고 모든 것이 봉쇄 전과 다르지 않아요. 출근 해 허마에서 야채를 시켰어요.
봉쇄 기간 내내 나를 외면했던 허마
평소 먹던 야채를 시키니 `네 `하고 주문을 받아주네요.
`이렇게 진작 좀 해주지…` 그동안 버림받았던 것 생각하면 서운함이 밀려오네요. 허마에서 회원 유효 기간을 3개월 연장해 준다고 하네요. 그동안 우리 방치했던 것 생각하면 당연하죠.
은행은 너무 바빠요.
다들 그동안 못했던 업무하려고 하니 창구는 붐비고 직원은 부족하고 왔다 갔다 맴맴 돌다 보니 다리가 아파요. 은행 안에서 2,000보 걸을 수 있어요. 점심시간, 직원들과 대화는 봉쇄 기간에 있었던 이야기예요. 다들 본인들이 겪었던 어려움을 이야기해요. 제게 식당 가지 말라고 해요. 그동안 쌓아둔 재고로 음식 만든다고요. 제대로 청소도 정리도 안되었던 상태로 영업 재개했다고 당분간 식당 가지 말라고 하네요.

그동안 밀렸던 택배들이 쓰나미처럼 밀려와요.

제가 3월에 주문했던 물건들도 3개월이란 시간을 폴짝 뛰어넘고 왔어요. 상하이 봉쇄 시작되었을 때 지인 분들이 보내주셨던 물건들도 도착해요. 고향 현미라고 중국 직원이 보내준 쌀도 왔어요. 봉쇄 시작되었을 때 보내준 현미 2.5Kg 가 지금 왔네요. 저 1년 동안 먹을 수 있어요. 업체 직원분이 보내준 치약도 도착하고 지인이 격리 기간 스트레스 받으면 마시라고 보내준 맥주도 지금 도착하고, 밀렸던 물건들이 갑자기 배달되니 좋기도 하고 기쁘기도 하고 허망하기도 하고,이렇게 살 수 있었는데 갑자기 왜 그 긴 기간 동안을 그렇게 살았었나 하는 의구심과 배신감에 쓰려요.

72시간 핵검룰에 계속 신경써야 해요. 밥 먹는 것보다 언제 핵검 받아야 하는지 더 중요해요.6월까지 핵검 비용을 국가에서 부담하지만 7월부터는 개인에게 부담시킨다고 해요. 지금 5명이 한꺼번에 검사하는 방식으로 하면 5위안이고 단독으로 하면 16위안인데요.

직장인들은 회사에서 부담해 주거나 회사에서 아예 검사 스테이션을 설치하는데요. 자영업자나 개인들은 자기가 부담해야 해요. 4인 가족 한달에 5위안짜리로 검사한다고 해도 한 달 부담액이 200위안이에요.

길거리에서 택배기사들을 집중 단속해요. 택백기사들이 대부분 외지인이고 가진 자본이 몸 하나인 사회적 약층이니 만만한거죠. 어느 사회이든지 사회 기득권층을 떠받치는 것은 다른 나라나 외지에서 온 외부 노동자들이에요.

상하이 봉쇄 해제인 듯 아닌 듯, 6월 20일에 재봉쇄한다는 유언비어도 돌고 유언비어는 현실로 된다는 이야기도 나오고 모든 건 시간이 이야기해 줄 거라는 중국인들 이야기도 나오고 제 25회 상하이 국제 영

화제도 내년으로 연기하면서 여전히 불투명함과 불안감으로 하루가 저무는 저녁

지인이 보내준 맥주로 그래도 즐거운 저녁이에요.

4.잔인한 사랑

2022년 6월 10일 금요일

한국으로 귀국하는 사람들이 늘어나네요. 귀국 전에 은행업무를 보거나 귀국준비를 위해 문의하는 사람들이 있네요. 두 달이 넘는 봉쇄기간 동안 미루었던 출국하는 사람들도 있고 언제 돌아가야 하나 망설였던 사람들에게 이번 사태가 확실한 트리거가 되었어요. 외국인들의 동요는 더 심해요.

다들 어떻게든 여건만 되면 돌아갈 준비를 하고 있어요. 국제학교 교사들의 이탈이 두드러지고요. 국제학교 교사들은 근무할 수 있는 나라를 선택할 수 있는데요. 누가 굳이 중국을 선택할까요?

중국이 자초한 엑소더스예요.

제가 출근하자마자 직원들이 이야기해요. 이번 주 토요일에 임시봉쇄하고 전수 핵산검사한다고요. 처음에 민항취하고 송장취만 한다고 했는데요. 오늘 들리는 이야기는 거의 상하이 전 지역 핵산검사 실시라고 하네요.

이거 뭐죠.

3월 18일에도 18,19일 이틀만 봉쇄하고 핵산검사하고 풀어주기로 했는데 아무 말도 없이 봉쇄기간을 수타면처럼 맘대로 늘렸는데요.
2,500만 상하이 시민들은 바로 의심병이 재발하네요.

점심 시간

대부분 식당 안에서 먹는 것은 안 되고 배달, 포장만 가능해 직원들이 도시락 싸와요. 같이 식사하던 직원이 온라인 앱에 야채들이 사라졌다고 저 보고 마트에 갔다 오라 하네요. 점심 먹다 말고 쪼르르 마트로 갔어요.

봉쇄 해제 후 만나기로 했던 지인들이 이번에 봉쇄되면 어떻게 될 지 모르니 보자고 하네요. 퇴근 후, 와이탄이 바라다 보이는 빈지앙다다오滨江大道로 갔어요. 황푸강 건너편 보이는 와이탄 풍경도 멋지고 강가에서 해지는 모습을 즐기는 시민들의 모습도 평화로워요. 언제 봉쇄가 있었는지 깔끔하게 털어버린 일상이에요.

여기서 상하이 야경을 즐기다 집에 왔어요. 오는 길에 필요한 물품이 있어 잠시 허마에 들렸어요. 텅텅 빈 야채 코너…
역시 현지 직원들의 말은 들어야 하네요. 자다가 떡이 생겼네요. 저희는 현지인들의 정보력을 따라 갈 수 없어요. 과연 내일 오전에 검사하고 오후에는 봉쇄 해제해 준다고 했는데요.

그렇게 될까요? 말까요?

푸동 빈장다다오에서 본 건물에 이렇게 쓰여 있네요.

나는 상하이를 사랑합니다. I LOVE SHANGHAI.

무슨 사랑이 이렇게 잔인한가요….

震旦

5.우리들의 인사

2022년 6월11일 토요일

열흘 만에 격리생활로 돌아갔어요.
6월 10일 금요일 밤부터 아파트 단체방에 일찍 자라는 문자가 올라왔어요. **왜 제가 자는 시간을 중국 정부가 정하죠?**

아침 7시 반부터 핵산검사하고 아파트에 거주하는 전원이 핵산검사를 마치면 아파트 봉쇄 풀어준다고 했어요. 핵산검사 후 양성자가 나오면 어떻게 할 거냐는 거죠. 베이징에서 싼리툰 클럽에서 60명 양성자 나왔다고 6,000명을 가둔 나라인데요. 베이징에 있는 사람들에게 봉쇄라는 말만 안 하고 봉쇄코스프레 중이라는 이야기를 들었어요. 제가 상하이봉쇄라는 예고편을 미리 보시지 않았냐고 했어요.

7시 반 이전에 줄 서서 핵검을 받았어요. 6월 1일 상하이 아파트 봉쇄 해제 후 거의 격일로 검사받아요. 밥은 안 먹어도 핵검은 받아야 해요. 오후에 외출 가능해 산책 겸 허마회원점에 갔다 왔어요. 집에서 3.5km 정도 떨어져 있어요.

봉쇄 기간에 한 번도 **배달 안 해주던** 너, 어떻게 생겼는지 궁금해 갔다 와봤어요. 코스트코,샘스클럽 컨셉이고 연회비는 한국 돈으로 5 만 원 정도 해요. 물건은 대용량으로 팔아요. 상하이에 허마회원점이 3 군데 있는데요 아직은 성공도 아니고 실패도 아니고 플래그샵으로 봐야 해요.

6월 12일에 1,300만 명도 넘는 시민들의 핵산검사가 나왔는데 10명이 양성이라고 해요. 구베이 일부 아파트는 7일 동안 다시 봉쇄했대요. 천만 명이 넘는 사람을 검사해 양성자가 10명 나왔다는 것을 그대로 믿는 사람은 없어요.

의심과 불신은 상하이 사는 우리들의 반려질환이 되었어요.

길거리에 있는 화장실을 들어가려고 해도 장소마场所码라는 큐알코드를 찍고 핵산검사가 있어야 이용할 수 있어요. 화장실도 중국 정부에 신고하고 가야 해요.

요즘 우리들의 인사는 `안녕하세요`가 아니에요
어차피 그동안 우리가 안녕하지 못한 것은 중국에서 한 사람 말고 다 알잖아요.

`아이고, 그동안 고생 많이 하셨죠.`
`수고하셨네요.`
`저만 고생했나요 우리 다 같이 힘들었잖아요.`
`그래도 잘 버티셨어요.`

인사 후 봉쇄생활에 대한 이야기를 나눠요.
강아지 키우는 분은 봉쇄가 길어지자 강아지 먹을 사료가 떨어졌다고 하네요. 구호품으로 받은 빵 하고 우유를 말아서 줬다고 하네요. 처음에 안 먹더니 나중에 조금씩 먹더래요. 4월 말부터 물자가 구해지기 시작하면서 그동안 빵 하고 우유 먹인 게 미안해 연어도 시켜주고 삼겹살도 구워 줬다고 하네요.

다른 지인 분은 집에서 일하는 아줌마까지 5명이 격리했는데 쌀만 한 달에 20kg 먹었는데 중간에 쌀을 구할 수 없어 3일 동안 국수만 먹었고 생수도 제때 배달 안 와서 수돗물 끓여 먹었대요. 누구 하나 힘들지 않았던 사람 없었고 우울하지 않았던 사람이 없었어요.

길고 힘들었던 봉쇄기간, 주변에 있는 중국 이웃 분들이 잘 도와 주시고 챙겨 주셨다고 하네요. 같은 아파트에 누가 사는지도 몰랐을 텐데 이제는 어느 집에 누가 살고 뭐 먹고 어떻게 사는지 다 알아요. 흔히 아파트가 공동주택이라고 하는데요 이번 봉쇄 기간을 통해 우리는 공동의 삶을 살았어요.

봉쇄 후 우리는 이렇게
서로를 위로하고 다독이는 인사를 나눠요.

6.위클리 락다운

2022년 6월 18일 토요일

상하이 기온이 많이 올라 아침에 걸어서 출근하기 더워요. 오늘 어제보다 덜 덥다고 기온을 보니 어제는 36도, 오늘은 34도네요. 화요일에 아파트 단체방에 민항취 통지문이라고 올려놨네요. 6월 18일에 지난주에 했던 것처럼 다시 전수검사 하는 동안 봉쇄한다고요. 지난주에 약속대로 검사시간 동안 봉쇄하고 풀어줬으니까 이번에도 그렇게 하겠다는 거예요.

나를 믿고 따르라는 건데요. 어떻게 믿고 따라요?

간헐적 단식도 아니고 무슨 봉쇄를 간헐적으로 해요. 간헐적 단식은 건강이나 좋아지죠. 우리 봉쇄 기간 동안 간헐적 단식 충분히 했어요.

7시 반부터 시작이라 7시부터 가서 줄 섰어요. 9시에 중국어 수업 있어요.11시까지라 수업 끝나고 가도 되는 데 숙제 같아 빨리 해야죠. 줄 서서 기다리며 핵검 비용 검사해 봤어요.

오늘 핵검 비용만 25,000,000명 X5위안=125,000,000위안, 한국 돈으로 237억 5천만 원이에요. 3일마다 검사비용을 추산하면 2,375억이고 한 달에 열 번이에요. 상하이 시가 6월 동안 쓴 핵검 비용만 1조4487억 5천만 원으로 추산되네요.매일 해야 하는 항원검사는 기업이나 개인 부담이에요. 이 돈으로 의료 인프라를 확충하는 게 더 효율적이라고 중국사람들도 이야기해요.내 나라 돈 아니니 `*마음대로 낭*

비하세요`하고 싶은데 제가 이 나라에서 *모범 납세자*이네요. 검사 마치고 외출증 주네요.
좀 예쁘게 생겼죠.

이제 주말마다 검사시간 동안 봉쇄하고 검사 끝난 후 봉쇄 해제하는 `위클리 락다운`이에요. 지금 상하이 밖으로 나갈 수가 없어요. 쿤산昆山, 닝보宁波, 난통南通 ,항저우杭州, 쑤저우苏州뿐 아니라 다른 도시에서 상하이에서 왔다고 하면 7일 시설격리+7일 자가격리를 요구해요

우리는 ***중국****이라는* ***인류 최대의 감옥*** *안에서*

상하이*라는* ***또 다른 감옥****에 갇혀있어요.*

오늘, 6월 18일은 징동 생일이에요.
알리바바에서 11월 11일을 광군제光棍节라고 해서 타오바오에서 히트쳤죠. 홀로 있는 남자들을 위해 그날 하루 물건 싸게 해 줄 테니 소비하라는 콘셉트로 시작했어요. 매년 11월 11일, 하루 매출이 조 단위인 것은 놀랍지도 않아요.

징동은 6월 18일 회사 창립일을 618이라고 해 할인 및 판촉을 크게 해요. 이번 상하이 봉쇄기간 동안 그나마 부분 물류가 된 것이 징동이었어요. 타오바오 대신 징동 밀어주는 것 아니냐는 합리적 의심을 샀죠. 마켓쉐어는 많이 늘었지만 타오바오와 비교가 안 되어요.

처음에 우리나라 쿠팡처럼 총알배송과 정품만 배송한다는 컨셉으로 대도시 위주로 틈새를 파고 들었고 사업 다각화로 여러 가지 플랫폼을 추가했어요. 내년에 징동이 화물기 운행을 목표로 올해 비행기 3대를 들여올 예정이래요.징동이 화물기까지 띄우면 파급력이 크겠죠. 호랑이가 날개를 달겠네요

지금 택배가 쓰나미처럼 밀려와요

봉쇄 기간 밀렸던 택배와 사람들이 보복 소비로 택배가 산처럼 쌓여서 제 물건 찾기는 월리를 찾기보다 어려워요. 정상으로 흐르던 물류를 막아서 이렇게 되었어요
세상은 흘러야 해요.
만나고 섞이고 또다시 다른 세상으로 흘러가야 해요.
그분도 모든 게 흘러야 한다는 것을 아셔야 할 텐데요. 중국 타오바오에 있는 물건들이 어떻게 한국까지 흘러가는지 알리 익스프레스에 관한 이야기를 해드릴까요?

봉쇄 해제 후 한꺼번에 배달되어 아파트입구에 쌓여있는 택배들

7.사람말고 다 파는 타오바오 淘宝

2022년 6월 24일 금요일

이번 주에 제가 사는 치바오쩐七宝镇 한 아파트에서 확진자가 나왔어요. 저희 아파트 하고 걸어 한 시간 정도 거리예요.
6월 18일 화요일에 갑자기 오후 5시까지 아파트로 돌아와 핵산검사를 받아야 하고 전원 검사 끝날 때까지 봉쇄한다고 하네요. 일하다 말고 집에 갈 수는 없잖아요. 아파트 단체방에 불만이 쏟아지자 직장 근처에서 핵산검사 받고 와도 된다고 하네요.
화요일부터 목요일까지 3일 동안 오후 5시부터 아파트 거주민 전원에 대한 핵산검사를 하는 미니멀 락다운을 했어요
미니멀 라이프 아니고 미니멀 락다운이에요.
미니멀 라이프 하면 집안이나 깨끗해지고 마음이나 정리되죠.

무슨 락다운을 미니멀로 해요.

지금 상하이는 **아파트 봉쇄** 라는 폭탄을 서로 돌리고 있어요. 어느 아파트에서 터질지 몰라요. 사람들이 코로나 바이러스에 대한 내성을 키워야 하는데 아파트 봉쇄에 대한 내성만 키우고 있어요. 식당들은 다 문 닫고 배달만 가능하고 생활 체육 시설은 문 못 열어요. 봉쇄가 끝났어도 여전히 저는 집밥에 홈트하고 있어요.

봉쇄기간 동안 아쉬웠던 물건들을 타오바오에서 시켰어요.

5kg덤벨과 실내에서 신을 나이키 운동화예요. 봉쇄가 끝났는데도 시키는 물건들은 봉쇄를 대비하는 것들이에요.

저는 타오바오가 걸음마 할 때부터 봤어요. 처음에 단순히 물품 판매하는 것부터 시작했어요.중국은 전국적이라는 단어를 쓸 수 없는 광활한 곳이에요. 넓디넓은 나라에서 타오바오는 플랫폼에만 올라타면 어디든지 훨훨 날 수 있게 날개를 달아 줬어요.타오바오와 함께 손잡고 눈덩이 구르듯 성장한 것은 알리페이,우리가 쯔푸바오支付宝라고 부르는 지불결제 시스템이에요.

지금은 중국에서 생활하는 모든 사람들이 사용하는 알리페이는 놀랍게도 중국인들 불신에서 태어났어요. 판매자는 구매자에게 아직 돈을 받지 않은 상태에서 물건을 내줘야 했고 구매자는 물건은 받지 않은 상태에서 돈을 지불해야 하죠. 배달원들이 물건을 배달하고 현금을 받는 과정에서 소위 `현금 배달 사고`가 발생해요. 당시 이 문제를 고민했던 마윈, 스티브 잡스와 더불어 인류역사에 길이 남을 위대한 인물, 마윈은 알리페이 PG Payment Gate를 만들어요.

타오바오라는 누구나 올라탈 수 있었고 어디서나 이용할 수 있는 플랫폼은 알리페이(쯔푸바오)라는 지불 결제 시스템과 같이 급성장해요. 사람 말고 모든 물건과 서비스를 판매하는 종합 플랫폼이에요. 타오바오에서 집도 비행기도 살 수 있어요. 물건말고 청소,이사,수리,심부름 같은 서비스 용역도 구입가능해요.

농담 삼아 사람 말고 다 살 수 있어요. 모든 것을 가진 타오바오는 이제 중국이 좁아요. 세계로 눈을 돌리면서 차이니아오菜鸟라는 새로운 플랫폼을 만들어요.

햇병아리, 신참이라는 뜻의 차이니아오는 2013년, 마윈이 설립했어요. 판매와 물류의 통합 플랫폼이에요. 경쟁사인 징동의 물류 독점에 대한 견제 목적도 있었고요. 업무를 세분화하면서 빠르게 성장해요.

차이니아오연맹菜鸟联盟
중국의 우정국과 15개 물류 회사와 공동으로 함께 만든 물류 종합 서비스
•차이니아오역점菜鸟驿站-택배 보관, 수령 발송과 공구에 특화
•차이니아오농촌菜鸟乡村-농촌 물류에 특화
•차이니아오궈궈菜鸟裹裹-모바일앱으로 타오바오에서 판매한 물건 반품과 교환에 특화된 플랫폼

11월 11일 광군절 쇼핑절에 빅데이터 기술을 적용해서 몇십억 건이 넘는 주문량을 소화할 수 있는 역량을 보여줬어요.

녹색물류라는 환경친화적 가치를 내세웠고 무자본으로 가맹점을 설립할 수 있게 해서 새로운 스타트업의 무대가 되어요. 해외 물류 네트워크를 구축한 **알리익스프레스**가 바로 차이니아오가 만든 거예요. 우리는 한국에서도 타오바오 물건을 받을 수 있게 되었어요.

한국을 자유롭게 왔다 갔다 할 때 한국과 중국의 가격을 비교해서 더 저렴한 나라에서 물건을 구입하는 스마트한 쇼핑을 했는데요. 지금은 싫으나 좋으나 싸나 비싸나 타오바오에서 모든 것을 구입해요.

*사람 말고 모든 물건과 서비스를 다 파는 **타오바오**님*

자유하고 인권도 판매해 주세요.

8.너나 잘하세요

2022년 6월 25일 일요일

어제 상하이 봉쇄 해제 이후 처음으로 오프라인 모임에 나갔어요. 걷기모임이에요. 저녁 7시에 만나 2시간 정도 걸었어요.
원래는 30Km도 걷고 50Km도 걷는다고 하네요. 아직 상하이 밖으로 나가는 게 자유롭지 않아 상하이 안이라도 걸어보자 하는 모임이었어요.

저는 지난해 10월에 상하이로 와서 1/3을 상하이 아파트 봉쇄로 보냈어요. 상하이에 와서 제일 많이 본 게 제 집의 벽이에요. 상하이에 대해서 아무것도 몰라요. 앞에서 리드해주시는 분을 따라서 열심히 걸었어요. 확실히 같이 걸으니 평소보다 빠르게 많이 걸었어요. 어디를 걸었는지 저는 모르고 애플워치만 알아요.

아침에 일어나니 다리가 뻐근해요. 근육도 풀어줄 겸 아침 산책하러 민항체육공원으로 갔어요. 제가 사는 아파트에서 민항문화공원과 민항체육공원을 걸어서 가면 10분 안 걸려요. 상하이 아파트 봉쇄 기간 동안 **슈세권** (한국마트에서 배달이 가능한 거리) 아니라 서러웠지만 **공세권**(공원을 걸어서 갈 수 있는 거리)이라고 저 혼자만의 부동산 프리미엄을 만들었어요.

공원 문은 꽁꽁 닫혀있고 열려있는 것은 핵산검사소네요.
여기서부터 줄 서면 2시간 대기, 여기는 3시간 걸린다고 친절히 안내문을 붙여 놨어요.

생활체육 시설의 접근성을 높여서 시민들의 기초 체력을 향상하는 것이 면역력과 삶의 질을 올리고 결국 사회적 의료비용을 낮

춘다는 것을 우리들은 알아요. 사람들은 집 안에 가둬 놓으면 면역력 저하와 우울증 증가로 사회 전체적인 의료 비용이 증가할 거라는 것을 그분은 모르시나 봐요. 선크림 잔뜩 바르고 선글라스 쓰고 나간 것 억울해서 공원 담을 따라서 걸었어요. 태극권을 하는 사람도 있고 따마님들 모여서 춤을 추네요.

에잇, 따마 님들 뒤에서 분노의 댄스라도 춰야 하나요.

어제 6월 24일, 상하이시에서 코로나 방역 전쟁에서 승리했다고 선언했대요. 제로코로나 하겠다고 봉쇄해서 정작 코로나로 사망한 분보다 봉쇄 여파로 사망한 분들이 더 많고 수많은 사람들을 몇 개월 동안 시멘트 콘크리트 덩어리 안에 가둬 놓고 방역이라는 이유로 가했던 유무형의 폭력과 짓밟힌 인권에 대한 언급은 쏙 빼고 고통받았던 사람들의 눈물은 마르지도 않았는데 코로나의 전쟁에서 승리했다고 분칠을 곱게 하네요.

화장은 언젠가 지워야 해요. 분칠이 벗겨진 민낯이 어떤지 자기가 제일 잘 알아요. 집으로 돌아오는 길도 여전히 담을 따라 걸어요. 중국은 모든 시설과 건물에 담을 만들어요. 갇힌 공간에서 성장하고 생활하는 사람들이 어떤 사고의 구조를 가지게 될까요?

자율이라는 글자가 보여요.

자율은 자기가 스스로 알아서 결정하고 지킨다는 것 아닌가요?

자율이라고 써 놓고 16개의 항목을 적어 놨네요

"너나 잘하세요"

闵行
MINHANG
德厚闵行
文进万家
自律16条 文明我践行
文明健康 有你有我
Good Behaviors Healthy Citizens
绿色环保
健康生活
文明行为
良好心态
环境保洁
共筑新风
闵行区精神文明建设委员会办公室

9. 상하이 봉쇄 해제 그후 한달

2022년 6월 30일 목요일

6월 1일 00시

중국 인민들은 와이탄에 모여서 상하이가 돌아왔다고 환호했어요. 상하이가 돌아왔다 上海回来를 외치면서요.

대한민국 인구의 절반에 해당하는 2,500만 명이 살고 중국의 경제 수도이자 전 세계 물류망의 중심이자 외국인이 중국에서 가장 살고 싶어 하는 1위의 국제도시 상하이가 돌아왔다고요. 환호할 일이었는지 판단은 사람마다 다르겠죠

한 달 전인 5월 31일에 저는 75일간 상하이 아파트 봉쇄를 기록했던 〈안나의 일기〉을 덮고 가입했던 아파트 위챗 공구 감옥방에서 다 탈퇴했어요. 봉쇄 내내 그렇게 절실했던 중국양념 간장, 식초,굴소스와 청경채 등 쌓여있던 중국 야채를 버렸어요.
6월 1일에 식자재와 쌀,기름, 우유 등의 먹거리를 다른 분들에게 드렸어요. 업무할 때보다 더 빠른 속도로요. 제가 손이 좀 빠른 편이거든요.

맥시멀라이프로 살겠다고 봉쇄기간 내내 그렇게 다짐했지만 막상 봉쇄가 끝나고 물류가 돌면서 원하는 물건은 필요할 때 살 수 있게 되자 집안에 쌓여 있는 물건들이 답답하게 느껴지고 빨리 소진하거나 나눠서 다시 비워 나가요.

상하이는 지붕이 있는 모든 장소와 모든 교통수단은 반드시 72시간 내의 핵산검사 결과가 있어야만 이용할 수 있어요. 거리에

있는 공중 화장실도요. 제가 아침에 출근해서 하는 첫 번째 루틴은 항원(자가진단키트)검사를 해서 앱에 올리는 일이에요. 금융기관 종사자는 매일 항원 검사해야 해요.

저는 출근하고 하는 데 어떤 분은 먼저 출근 전에 올려야 회사 출입이 가능하다고 하네요. 3일마다 핵산검사 받아야 하고 주말마다 위클리 락다운이고요. 가는 모든 곳마다 **장소마**라는 큐알코드를 찍어야 하고요. 제가 사라지거나 고독사 할 일은 없을 거예요.

살아있음을 이렇게 증빙해야 하니까요.

6월 28일에 해외 입국자 격리 정책에 대한 새로운 정책이 발표되었어요. 기존 14일 시설격리+자가격리 7일을 7일 시설격리+자가격리3일로요.두 대 때리다 이제 한 대 때린다고 하네요. 원래 안 맞는 게 정상인데 그동안 사람들은 가스라이팅을 당해 맞는 게 정상인 줄 알고 두 대 맞다가 한 대 맞는다고 덜 아프다고 하네요.

6월 29일에는 드디어 식당 실내 취식이 가능해졌어요. 다들 밀렸던 오프라인 미팅 스케줄 정하느라고 손가락이 바쁘네요.

코로나 발생 지역이면 이동통신의 14일간의 기록에 별표가 생겨요. **행정마** 라고 14일 동안 이동통신사 데이터로 어느 지역에 있었는지 추적해 코로나발생지역을 갔다 왔는지 확인하는 방식인데요. 오류가 많아요. 상하이시 면적만 6,430제곱킬로미터인요. 여기서 한 명 발생하면 2,500만 시민들의 행정마에 별표가 달려요. 이 별표를 더 이상 달지 않겠다고 했어요. 여행 관련 사이트 검색과 예약이 폭증했어요.

법이라는 게 물처럼 흘러야 하는데요.

이 나라에서는 아무 데나 맘대로 흘러요.

거리는 다시 교통 체증이 생겼고 오토바이가 너무 많아서 제대로 걷기 힘들어요.

퇴근길

상하이 최고 젤라또 맛집이자 프렌치빵 맛집으로 유명한 루너스 Luneurs 에서 지인과 저녁을 먹었어요. 봉쇄 해제 후 처음으로 외식을 하네요. 프랑스어로 달을 뜻하는 Lune 에서 영감을 얻어서 루너스라는 이름을 붙였다고 해요. 제가 일하는 완상청에도 있고 시내 여러 군데 체인이 있어요. 화원 같아 보여 얼핏 보면 식당인지 몰라요.

원래 젤라또 아이스크림과 크루아상으로 유명하다는 데 저는 엉뚱하게 연어베네딕트를 먹었어요. 역시 맛집은 그 집에서 제일 유명한 것으로 먹어야지 다른 것 선택하면 안 되네요. 담에 가서 젤라또와 크루아상을 먹어야겠어요.

6월 한 달

시간은 폭풍처럼 지나갔어요.
7월에는 또 어떠한 바람이 불어올까요?

언제든지 터질 수 있는 재봉쇄라는 폭탄이 옆에서 재깍재깍 거리고 있는데 제 버릇 남 못 주고 슬금슬금 미니멀라이프로 돌아가고 있는 저는

무모할 걸까요?
용감한 걸까요?

10.무모한 도전

2022년 7월 5일 화요일

저는 상하이의 여름을 경험하지 못했어요.
가끔 걸어서 퇴근하는 제게 지인 분들이 더위를 먹어봐야 정신을 차릴 텐데 하세요. 아침에 걸어서 출근 못 해요. 땀이 잘 안나는 체질인데도 걸어서 출근하면 땀이 나서 디디(중국판 우버)를 타고 해요. 상하이 봉쇄가 조금만 늦게 풀렸어도 민항문화공원을 걸어서 출근하는 **나의 출근길**이라는 글은 못썼을 듯….

약속 있거나 일이 있어 늦게 퇴근하는 날이면 걸어서 퇴근하는 제게 지인들은 무모한 도전이라고 해요.

오늘 또 간헐적 봉쇄와 기습적 핵검이 시작되었어요. 민항취 내에서 3군데 아파트가 봉쇄되었고 일부 아파트는 동 별로 봉쇄했어요. 지아딩취嘉定区에서 오피스 건물을 봉쇄해 지인이 퇴근도 못하고 건물에 갇혀있어요.2일 동안 오피스 건물에서 갇혀 있어야 해요. 그다음에 어떻게 될지는 모르고요.

아파트 단체방에 7월 5일부터 6일까지 2일 동안 핵산 검사한다고 올라왔어요. 민항취闵行区전체, 2일간 미니멀 락다운 실시예요. 어떠한 사전 예고나 사후 조치 없이 무조건 실시에 다들 `도대체 언제까지 이렇게 할 거냐` 하는 불만이 쏟아져 나왔어요.

바이러스와 이길 수 없는 게임을 하니 번번이 지죠.

우리는 이미 알아요. 오미크론 바이러스를 이길 수 없다는 것을요. 자연이 인간을 만들었는데 어떻게 인간이 자연을 이겨요.

저희 지점에 새 직원이 왔어요
원래 3월에 입행하기로 했는 데 상하이 봉쇄 때문에 6월 13일부터 출근했어요. 귀하디 귀한 남자행원이에요. 한국은 은행에서 일하는 직원들 성비가 비슷한데요. 중국은 남자 은행원 비중이 매우 낮아요. 특히 저희 쪽에는요. 금보다 귀한 남자 신입 행원이에요. 한국에 유학가 법학을 공부했고 한식이 먹고 싶을 때면 고향인 내몽고에서 베이징 왕징까지 원정 왔을 정도예요. 나중에 한국에서 살고싶다는 열정남이에요. 은행 업무 배우면서 이런저런 도전을 하면서 고전하고 있어요. 저는 옆에서 도와주면서 응원하고 있어요. 저도 신입 때 어리바리했고 선배들의 가르침 속에서 성장했으니까요

도전은 원래 아름답잖아요.
꼭 승리하거나 달성하지 못해도 시도만으로 우리는 박수 쳐줄 수 있어요. 이제 입행한 지 한 달도 안 된 우리 신입 행원이 하는 도전은 아름다운데요.

코로나 바이러스와 싸워 이기겠다는
이 나라의 무모한 도전은 왜 밉기만 하죠.

11.하나의 길

2022년 7월 7일 목요일

어제 오후에 저희 아파트 라인에서 밀접접촉자가 나와 2일간 봉쇄를 할 거라는 이야기로 단체방이 시끌시끌했어요. 양성자가 발생한 장소에 갔다 왔다고 저희 아파트 한 동을 봉쇄하기로 결정했대요. *별일 아닌 일을 별일로 만드는 별스러운 나라예요.*

봉쇄폭탄 저글링 하고 있어 이제 놀랍지도 않아요. 36일 만에 재수감(?) 영장을 받아든 제게 지인이 맥주를 사준다고 해 칼퇴근하고 푸동으로 갔어요. 상하이는 황푸강을 기준으로 동과 서로 나눠요. 서울은 한강을 중심으로 남북으로 나뉘죠.

푸동은 1992년까지 모래밭이었어요. 덩샤오핑이 이곳을 아시아의 맨해튼으로 만들겠다고 했고 중국이 한다면 또 하잖아요. 지금은 누구도 부인할 수 없는 금융중심지이자 진마오, IFC,상하이타워,동방명주등 랜드마크로 아름다운 야경 스카이라인을 만드는 땅값 비싼 동네예요.도로도 잘 정비되어 있고 널찍하고 쾌적한 느낌을 주는 신도시예요.

케리호텔 하우스브로이 브루를 갔어요. 샹그릴라 호텔 계열이라 로비에 들어가자 샹그릴라 호텔 특유의 향이 나요. 제가 좋아하는 향에 더운 날씨에 힘들게 푸동까지 간 수고는 사라지고 기분이 좋아지네요. 인구 천만, 메트로폴리스 서울에도 없는 샹그릴라 호텔이 상하이에 3개 있으니 역시 돈은 눈이 밝은가 봐요.

제가 좋아하는 향에 더운 날씨에 힘들게 푸동까지 간 수고는 사라지고 기분이 좋아지네요.

제 지인분은 기장이라 주로 비행기와 공항에 관한 이야기를 나눠요. 지금 중국에 필요한 것은 새로운 공항을 짓는 게 아니라 관제를 잘하는 거라고 하시네요. 관제만 잘해도 공항 하나를 줄일 수 있다고요.

2019년 10월, 베이지 다싱공항이 오픈했을 때 아시아 허브공항으로 우리나라 인천공항을 대체할 거라고 했어요. 제가 다싱공항을 갔을 때 느낌이 마치 우리나라 인천공항 2터미널 같았어요. 활주로 6개로 최대 허브 공항이 되겠다고 했는데 오픈하자마자 코비드 19 터져서 국제선 전멸이고 국내선 놀이터예요.

중국은 비행기 이착륙할 때, 하늘에 길이 얼마나 많은 데 썬더스톰 Thunder storm 있다고 마냥 기다리게 한대요. 항로를 조금만 바꾸면 되는데 굳이 정해진 항로만 고집해 트래픽을 만들어 낸대요. 중국에는 하나의 길만 있나 봐요. 아파트 봉쇄 시작한다는 7월7일 0시 되기 전에 딱 맞춰 집에 왔어요. 아파트 현관입구에 벌써 펜스 쳐놨어요. 아파트 보안이 지금 집에 들어가면 2일간 못 나온다고 이야기 해주네요.

알고 있어요.

제대하고 군대 다시 가면 이런 심정일까요? 수용소에 재입소하는 기분으로 집으로 들어갔어요.
아, 우리가 했던 건배사를 이야기 안 해드렸어요.

하나의 길만 알고 있는 이 나라를 위하여!

12.너는 그렇게 내게로 왔다

2022년 7월 8일 금요일

다시 시작하는 봉쇄생활

상하이 와서 늘은 것은 봉쇄에 대한 내성과 이 나라 체제에 대한 반항감이에요. 아파트경비실에서 인터폰으로 연락 왔어요. 큰 물건이 도착했으니 빨리 내려오래요.

` 뭐지 ` 하고 내려갔더니 커피나무가 도착했네요.

제가 2월 춘절에 윈난성 바오산시 누지앙촌 총강쩐 云南省 保山市 怒江村 从岗镇에 있는 커피산지를 갔다 왔어요. 그때 만난 농장주 하고 교류하는데 커피나무 한번 키워보라고 하면서 보내주겠다고 했어요.

원래는 3월에 보내기로 했는 데 상하이 봉쇄로 7월에서야 보낼 수 있었어요. 꽁꽁 싼 포장을 벗기니 나무프레임 속에 커피나무 2그루가 있네요. 너무 견고해 도저히 제가 해체할 수 있는 수준이 아니에요. 하긴 그렇게 튼튼하니까 4일 동안 2,838Km 를 트럭 타고 왔죠. 악력도 없는 제게 근력이라고 있을까요. 집에 있는 모든 공구를 들고 1층 현관으로 내려갔지만 제가 할 수 있는 일이 아니네요 .

인구의 절반이 남자인데 저를 지금 도와줄 수 있는 남자가 한 명도 없어요. 봉쇄하면 1층 현관문을 밖에서만 열 수 있게 구조를 바꿔요. 들어올 수는 있지만 나갈 수 없으니 나무프레임 해체를 도와줄 수 있는 남자가 없어요. 농장주에게 연락했어요. 지금 제 힘으로 나무 프레임을 해체할 수 없고 봉쇄 풀리는 내일 밤이나 모레 아침에 해야 할 것 같다고 했더니 그럼 커피나무가 죽을 거래요.

이미 커피나무가 4일 동안 굶었어요.
시간의 신은 왜 제게 이렇게 가혹할까요?

어떻게든 나무프레임을 뜯어 커피나무에 물을 줘야 하는 절대 숙명이 제게 주어졌어요. 어설프게 공구 들고 덤벼 봤자 제 힘으로 해체할 수 없는 견고한 철옹성같은 나무프레임을 어떻게 하죠.

생각해보니 제가 아파트를 못 나가지, 나무가 못 나가는 것은 아니네요. 주변 지인들에게 연락해서 현재 상황을 주절주절 설명했어요. 다행히 사무실이 근처인 지인이 점심시간에 와 주기로 했어요.

아파트 1층을 지키고 있는 보안이 현관문을 열어 커피나무를 내보냈고 지인 분이 체감 기온 50도, 상하이의 이글거리는 한 낮 땡볕 속에 나무프레임을 해체해 줬어요. 진심으로 감사하고 고마웠어요. 다시 나무를 1층 현관 안으로 넣어주고 지인은 갔어요.

이 은혜 평생 안 잊을 게요.

1층 현관에서 한 그루씩 제가 사는 14층까지 옮기고 욕실로 데리고 가 물 흠뻑 주고 다시 베란다로 옮겼어요. 화분을 미처 준비하지 못해 포장한 상태로 그냥 올려놨어요. 저는 태어나서 가장 많은 힘을 사용했어요. 그다음 날까지 팔이 덜덜 떨릴 정도로 무리했어요. 다음 생에 태어나면 근력 좀 가지고 태어나게 해주세요.

순펑顺丰이 제게 커피나무 두 그루를 데리고 왔어요.
순펑은 중국의 DHL 혹은 FEDEX 라고 보시면 되세요. 1993년오토바이 택배원 출신인 왕웨이 회장이 설립했고 지금은 중국 1위의 프리미엄 택배 회사예요. 자체 보유 화물기만 60대가 넘고 올해 최초로 드론 무인택배 허가를 받았어요.

군웅할거하는 중국 택배시장에서 최고의 신뢰성, 신속성, 편의성을 가진 업계 1위예요. 설립자 왕웨이 회장은 2016년 베이징에서 순펑택배원에게 갑질했던 사람에게 끝까지 책임을 물어 형사처벌을 받게 한 사이다 결말로 박수를 받았어요. 이 사건으로 순펑직원들의 애사심과 고객들의 호감도가 올라갔어요.

2020년 3월, 코로나 팬데믹 상황에서 당시 베이징 살던 제가 파리에 사는 조카에게 보낸 마스크를 파리 락다운 전날에 배달해준 능력있는 순펑이에요.
나중에 DHL 이나 FEDEX 가 미국의 순펑 같은 회사라고 소개될 수 있어요. 이 순펑이 윈난성에서 상하이까지 제 소중이들을 데리고 왔어요. 커피나무 두 그루가 2,838Km 를 트럭 타고 그렇게 제게로 왔어요.

베이징에서 커피나무 두 그루 키웠는데 실패했어요. 상하이에서 가능할 수 있다고 해 다시 시도했어요. 저도 과연 이 두 그루의 커피나무가 잘 자랄 수 있을지 몰라요.

하루가 멀다 하고 여기저기 봉쇄 폭탄 터지고 있고,

매일 받는 핵산검사는 고문 같은 이 상황에

제게 위안과 희망을 줄 수 있지 않을까요?

13.145년만의 더위

2022년 7월 10일 일요일

일주일째 상하이는 부글부글 거리는 솥단지 같아요. 아침에 일어나면 분명 집안인데 느낌은 비닐하우스 안에서 잔 것 같아요. 공기는 답답하고 더워요. 수돗물을 틀면 찬물인데 온천물처럼 뜨거운 물이 나와요. 신기해 다시 봐도 분명 수도꼭지는 찬물 쪽으로 되어 있는 데도 뜨거운 물이 콸콸 나와요. 덕분에 온수 비용 아낄 수 있네요. 매일 낮 기온은 오디션 경쟁만큼 뜨거워요. 밤에도 다이슨드라이 3단보다 뜨겁고 강한 바람이 불어 산책도 못해요.

어마무시한 더위에 핵산검사 받느라고 사람들 줄 서 있어요. 오미크론 바이러스에 걸리는 것보다 일사병에 걸리는 사람들이 더 많게 생겼어요. 저는 24시간마다 핵산검사를 받아야 해요. 피자 위 모짜렐라 치즈처럼 더위가 엉겨 붙는 데 핵산검사를 갔다 왔어요.

그래, 중세시대 마녀사냥 때 고문보다, 아니 아니 중세시대까지 갈 것도 없지. 우리나라 독재시대에 행해졌던 고문보다 덜 잔인하잖아 그렇게 중얼중얼 저를 세뇌시켜요.

베이징에서 핵산검사를 20 분 안에 마칠 수 있게 검사소를 운영하겠다고 했어요. 검사소를 늘리든지, 검사인력을 늘리든지 해야겠죠. 거기에 들어가는 돈은 누구의 돈일까요?

7월 11일부터 베이징에서 백신을 접종하지 않은 사람들은 사회적 활동을 할 수 없다는 지침이 나왔어요. 중국백신이 효과 없다는 것은 모두가 다 아는데요. 자기네들도 백신이 지금 변이가 일어나고 있는 바이러스에 효과적이지 않다는 것을 알아요.
그러니 제로코로나 정책을 지속할 수밖에 없는데 그 효과 없는 백신을 안 맞으면 사회적 활동을 할 수 없다는 어거지예요. 거센 반발로 결국 무산되었어요.

꽃도 십일은 붉다는 데 이 나라 정책은 10일도 못 가네요. 검사만 한다고 해결될 상황이 아닌데 이 나라가 하는 것은 오로지 핵산검사하는 것이네요. 한국도 이미 BA5 바이러스가 우세종화 되고 있고 새로운 변이 바이러스는 계속 나오고 있는데요.

145년 만의 더위가 이글거리는 날에 칭푸취 青浦区로 차를 마시러 갔어요. 칭푸취는 상하이 외곽 쪽이래요. 민항취보다 2배 정도 넓고 녹지 비율이 높아서 살기 좋다고 하네요. 6명이 7월 17일에 중국을 떠나는 차茶 선생님 송별회 겸 마지막 차 모임을 했어요. 차 선생님께서 상하이에서 한국으로 가는 직항이 없어서 홍콩으로 가신다고 하네요.상하이에서 한국까지 1,000Km 도 안되어요.

2시간도 안 걸리는 거리를 상하이에서 홍콩까지 4시간, 홍콩에서 공항에서 몇 시간 길게는 열 시간 넘게 기다리다 한국까지 또 3시간 반 비행기 타고 가야 해요. 베이징에서 한국 가는 것도 마찬가지예요. 베이징, 상하이 모두 한국에서 2시간도 안 걸리는 데 이렇게 제3국을 경유해 **하루 종일 가야 하는 비효율과 고비용을 만들어내는 신기한 나라예요.**

홍콩, 타이완하고 하나의 중국이라고 그렇게 외치면서 홍콩,타이완 통해 중국으로 못 들어와요. 이럴 때는 제3국이에요. 외환 거래도 홍콩, 타이완은 국외 거래로 취급해요. 하나의 중국이라면서 이럴 때는 딴 나라 취급하는 이중 잣대의 나라

8월까지 중국에서 외국으로 나가는 비행기 티켓 가격이나 외국에서 중국으로 들어오는 비용이나 모두 역대급이에요. 한국에서 지금 중국으로 들어오려면 누구는 3백만 원 줬다, 누구는 5백만 원 줬다고 해요. 방학과 발령철, 시설격리7일+자가격리 3일로 기존 14일에서 10일로 줄어든 격리기간으로 입출국 수요 증가로 지금 비행기 티켓 구하기가 하늘의 별 따기보다 조금 쉬워요.

미국 로스앤젤레스에서 상하이로 들어오는 비행기 이코노미 좌석이 한국 돈으로 천만 원 넘는 것은 기본이고 천사백만 원을 준 사람도 있고 비즈니스좌석은 3천만 원도 넘어요.한 가족이 미국에서 상하이로 오려면 1억 원 든다는 말이 나와요. 여기에 조금 더 보태면 달나라도 갈 수 있어요. 이렇게 비싼 비행기 티켓도 구하기 힘들어요.

차 선생님은 20년이 넘는 중국 생활을 정리하시고 한국으로 돌아가세요. 중국 상황이 좋아지면 다시 돌아오신다고 했어요. 긴 중국 생활을 마치고 떠나시는 선생님에게 중국은 어떻게 기억될까요?

선생님 집 앞에 흐르는 작은 시내 위로 반짝이던 빛 같이 드리워진 나무 가지, 푸르른 소중하고 아름다운 추억만 가지고 떠나시길 바랄게요.

선생님 안녕히 가세요

화무십일홍, 다음 이야기를 안 했네요.

십일 붉은 꽃도 없고 십 년 가는 권력도 없다죠.

화무십일홍 권불십년

花舞十日红权不十年

14.나의 살던 고향은

2022년 7월 17일 일요일

인류 역사에 새로운 인류가 생겨났죠.

아파트 인류

아파트에서 태어났고 성장한 사람들을 가리키는 단어죠.
아파트는 언젠가 사라지거나 다시 지어지죠. 시간차는 있겠지만 마당과 골목이 없는 공간에서 자란 아파트 인류에게 고향은 어떤 것일까요?

고향을 공간이 아닌 숫자로 기억하는 인류가 생겨났어요.
아파트 인류는 고향을 몇 동 몇 호라는 숫자로 기억해요.

제가 자랐던 주택도 사라지고 그 자리에 아파트가 들어섰어요. 어쩌다 보니 신도시, 신축 아파트를 따라다니면서 생활했어요. 신도시 초창기는 늘 공사판이었죠. 제게 고향은 아파트로 변해버린 서울의 단독 주택이 있던 곳이 아니라 지금 사는 중국인 것 같아요.

2008년도부터 2010년까지 2년간 산동성 취푸曲阜에서 살았어요. 인구 12만의 작은 도시이고 한국인 10명도 안 되는 작은 도시에서도 27Km 떨어진 작은 마을이에요. 우리나라 사람들에게는 공자의 고향으로 유명해요.

가끔 나가는 지난济南은 현기증이 느껴지는 대도시였고 한국 가는 비행기를 타고 위해서 오고갔던 칭다오青岛는 거대한 메트로

폴리스였어요. 어쩌다 산동성에서 살았던 분들 만나면 `어머 산동성 어디에서 사셨어요` 하고 물어보곤 해요. 산동성만 해도 한국보다 큰데요.

2011년부터 2021년까지 베이징 왕징에서 살았어요.
왕징 소호 땅 팔 때부터 살았고 다왕징大望京CBD에 포스코 건물 올라가는 것 보고 살았어요. 상하이에는 베이징에서 살았던 분들이 많아요. 만나면 대서양 **낙원슈퍼** 떡볶이 이야기하고 지금은 사라진 **아침시장** 이야기하고 **평가시장** 문 닫았다는 이야기하면서 추억을 공유해요. 얼마 전 모임에 6명이 참석했는데 그중에 5명이 베이징에서 살았던 사람들이었어요. 상하이에서 베이징 향우회 가능해요.

취푸와 왕징에서 살았던 13년보다 상하이에 살은 8개월 동안의 기억은 마오타이 향만큼 진해요.

제가 사는 치바오七宝는 치바오라오지에七宝老街라는 옛 수향 마을이 있어요. 후한 시대에 형성되었고 송나라 초에 발전했고 명, 청 시대에 전성기였다고 하네요. 약 1,000년 정도 된 오래된 마을이에요. 말 그대로 금계金鸡, 옥도끼玉斧, 옥피리玉筷, 비래불飞来佛,튠래종汆来钟,금자연화경金子莲华经,신수神树라는 7개의 보물이 있었고 비래불,튠래종,금자연화경,신수, 4가지 보물은 칠보사에 보관되어 있어요.
코로나 전에는 사람들로 가득 차서 걸어 다니기도 힘들었던 핫플레이스인데 지금은 저 혼자 그 거리와 공간을 다 쓸 수 있을 만큼 한가하네요. 상하이 봉쇄 전에는 항상 줄 서 있어서 엄두도 못 내던 맛집도 이제는 바로 구입할 수 있을 정도로 한가해졌어요.

총요우빙葱油饼이라는 야채 호떡 비슷한 맛인데요. 맛나요.

치바오 노포老铺와 총요유빙

일요일 저녁이면 발 마사지를 받는 게 일상이에요. 발 마사지를 해주는 분이 얼마 전에 문자가 보냈어요.

`문을 닫게 되었다`고

상하이 봉쇄로 장기간 문을 닫았고 그 이후로 간헐적 봉쇄로 영업을 못하면서 경영이 어려워져 폐점하기로 했대요.

많이 아쉬웠어요. 그동안 정이 들었는데요 마사지 집 직원들도 다 알고 심지어 손님들도 저를 알아요. 제가 마사지 받고 있으면 자기네들끼리 한국여자라고 이야기하고 가끔 한국에 대한 질문도 던지고 의견을 물어보기도 해요. 마사지를 해주는 사람들은 100% 외지인이에요. 중국에도 인도 못지않은 카스트가 있어요. 이 이야기는 다음에 해드릴게요. 마사지사는 타지역에서 상하이로 와 한달 정도 학원에서 훈련받고 마사지사가 되어요. 진정한 마사지사로 성장은 필드에서 이뤄져요. 마사지가게에서 선배들에게 배우면서 실력을 키우게 되죠. 뭐든지 실전이 중요하잖아요. 마사지사는 일한 만큼 급여를 받아요. 비율은 실력과 경력에 따라서 다른데 보통은 50:50혹은 40:60이에요.

마사지 집 사장들은 숙소와 식사를 제공지만 당연히 편차가 크죠. 마사지사가 고된 직업이지만 아무 자본 없이 맨몸으로 도시로 와서 숙식을 해결하면서 바로 시작할 수 있는 직업이기도 해요.
문 닫기 전날
마지막으로 마사지 받으러 갔어요.
발 마사지를 마치고 집으로 돌아오는 길 씁쓸했어요.

저는 또 다른 이별을 했어요.

치바오 저녁노을은 이렇게 예쁜데요.

언젠가 저는 중국 생활을 마치고 한국으로 돌아가겠죠.

저는 이곳을 **단테의 지옥**으로 기억할지

꽃 피는 산골로 기억할지 아직 모르지만

복숭아 꽃 살구꽃 피지 않아도

지금 제게 **나의 살던 고향**은 이곳 상하이 치바오이네요.

15. 작은 오렌지의 시련

2022년 7월 22일

145년 만의 더위는 하필 제가 상하이에 와 맞이한 첫여름에 찾아왔을까요? 상하이에서 평생 살았다는 현지인도 이렇게 더운 여름은 처음이라고 하네요. 아스팔트위에서 옥수수가 팝콘이 된다는 우스갯소리가 있을 정도로 끓어오르는 더위로 저는 아침저녁으로 디디滴滴타고 출퇴근해요.

디디앱에서 부르는 데 3Km 거리에 평균 15 위안, 한국 돈으로 2800원 정도 나오는 것 같아요. 비가 오거나 피크타임에는 요금이 2배로 나올 때도 있어요. 디디 덕택으로 저같이 운전 못하고 차 없는 사람도 나름 품위 있게 생활할 수 있어요.

저는 디디가 태어났을 때부터 봤어요.

2012년에 태어난 디디는 청웨이程维가 아빠이고 텐센트가 엄마예요. 2013년에 청웨이는 텐센트의 투자를 받아요. 알리바바가 낳은 콰이디다처快的打车하고 아웅다웅하다가 합쳤어요. 디디는 엄마가 2명이에요. 텐센트하고 알리바바

처음에 시장에 진출할 때 베이징 왕징 내 단거리 요금이 3위안이었어요. 텐센트 위챗페이로만 지불할 수 있어 사람들은 디디 타려고 위챗페이를 가입했어요. 나중에 콰이디다처와 합병하면서 위챗페이와 알리페이, 둘 다 지불 가능해졌어요.

3위안, 5위안이라는 저렴한 가격과 편리한 이용으로 사람들을 디디바다에 퐁당 빠지게 했어요.

한번 디디 타기 시작하면 디디 가두리 양식장에 갇혀요. 디디바다에서 못 나와요. 텐센트하고 알리바바가 낳은 디디는 중국에 진출한 우버를 2016년에 가볍게 날려버려요. 천하의 우버도 손들고 디디에게 지분 넘기고 스르르 사라졌어요.

온라인 플랫폼의 특성은 승자독식이죠.

2012년에 생긴 회사가 10년도 안되어 뉴욕증시에 상장할 수 있는 기업이 될 수 있는 나라가 중국이에요. 전 세계에서 미국 다음으로 **가젤기업** Gazelles company 많고 **유니콘기업** Unicorn 은 기본이고 **데카콘** Decacorn, **헥토콘** Hectocorn 기업도 탄생하는 곳이에요. **미우나 고우나 차이나**가 가지고 있는 시장 규모와 파워는 무시할 수 없어요.

시장점유율 거의 100%을 차지하며 거침없이 성장하던 디디는 2018년 승객이 피살되는 사건이 2건발생해요. 디디를 이용하던 사람들이 주춤하게 되어요. 이때 류칭刘青이라는 탁월한 경영자가 적절한 대응으로 위기를 넘기고 승객 보호 기능을 강화해요.

탑승 후 목적지까지 가는 예상루트에서 벗어나면 전화가 와요. 지금 안전한지 물어봐요. 디디네비에서 정한 길로 가지 않으면 혹시 기사가 일부러 길을 돌은 것은 아닌지, 차가 움직이지 않아도 전화나 문자가 와요.

이렇게 승객 보호기능을 강화하면서 디디는 차량공유서비스 시장에서 독점적 지위를 차지하면서 2021년 6월, 뉴욕 증시에 IPO를 했어요. 중국 데이터를 해외로 넘긴다고 괘씸히 여긴 중국 정부는 디디앱을 모든 플랫폼에서 삭제해 버리고 신규 가입을 막아버려요.

사람들이 디디앱을 사용 못 할까 봐 휴대폰 못 바꾼다고 할 정도였고 휴대폰을 바꾸면 디디앱을 깔기 위해 APK 파일을 주고받고 스마트스위칭와 마이그레이션을 배우게 했어요. 결국 뉴욕 증시 상장을 철회했지만 더 이상 신규 고객과 기사를 확보할 수 없으면서 시장점유율 하락과 성장둔화 위기를 맞이해요.

절대 강자가 사라진 차량 공유 서비스 시장에 여러 사업자가 나타나지만 누구 하나 똑 부러지게 하지 못하고 도토리 키재고 있어요. 아직까지 기승전 디디일 수밖에 없어요.

2022년 7월 21일, 중국정부는 **인터넷 안전법, 데이터 안전법, 개인정보 보호법** 위반 등을 근거로 디디에게 80억 위안, 한국 돈으로 1조 550억 원 벌금을 부과합니다. 웬만한 코스닥 상장 법인 시총에 해당하는 금액이에요.
벌금도 대륙의 스케일이죠. 디디 경영자인 류칭과 청웨이에게 개인 벌금 100만 위안, 한국 돈으로 2억 원에 가까운 금액의 벌금을 부과해요. 디디의 상징은 오렌지인데요.

이 귀여운 오렌지가 지금 시련을 겪고 있네요. 벌금부과이유를 본 제 느낌은 내가 하면 로맨스 남이 하면 불륜이네요. 개인 정보 수집도 모자라서 생체 정보까지 다 수집하는 주체가 누구에게 뭐라고 하는 내로남불이네요.

13억인구의 모든 데이터를 무비용으로 수집해 거대한 빅데이터로 AI 의 원탑 하겠다는데 말릴 수 없고요.

저 같은 외국인은 좀 빼주세요

저는 오늘도 내일도 디디타고 출퇴근할 거예요.

16.지정 생존자의 60일

2022년 7월 30일

2022년 5월 31일, 저는 머리에 꽃 꽂지 않고 75일간의 아파트 봉쇄 생활을 마쳤어요.60일이 지났어요. 6월에 식당과 생활체육시설을 열지 않았어요. 상하이에서 다른 도시로 가면 14일 시설격리를 요구했어요. 아파트 봉쇄는 해제되었지만 아파트가 아닐 뿐 후 갇혀 있다는 느낌은 여전했어요.7월부터 식당, 생활 체육 및 집합 시설들이 문을 열기 시작했고. 제한적이지만 단체 운동 GX 가 다시 시작되었어요. 이제 더 이상 저는 혼자 홈트를 하지 않아요. GX 를 하니 좋아요. 제가 할 수 있는 한계보다 더 운동하게 되고 같이 하니 붐업돼요.

핵산검사는 민방위 훈련처럼 해요. `오늘부터 3일간 2회 핵산검사를 실시한다.` 이런 식으로 일방통보해요. 아파트 단지 내 핵산검사과 별도로 출근하려면 대부분 오피스 건물에서 24시간마다 핵산검사를 요구하기 때문에 저는 매일 받아요.

핵산검사 피검체로 태어난 것도 아닌데요.

주말마다 아파트 핵산검사가 있어요. 지난 일요일 아침 허마에서 야채시키고 핵산검사 받으러 갈 때 정문에 가 받아오면 되겠다 생각했어요.

갑자기 현관문 벨이 딩동

순간 핵산검사 받으라고 누가 `문 두들기는구나` 생각하고 신경질적으로 확 열었는데 허마 배달하는 분이 제가 주문한 야채를 들고 있어요.

이제 아파트 안으로 배달이 가능해졌어요. 순간 반갑고 행복했어요. 집 앞까지 주문한 물건을 받을 수 있게 되었어요. 불과 5개월 전에 당연했던 일인데요. 지금은 감사하고 신기해요.
이제 제게 일상이 돌아왔어요.

아파트 정문에서 집까지 생수박스를 가지고 오기 힘들어 못 시켰는데요. 이제 생수를 구매할 수 있어요.
저를 옭아매고 있던 끈이 하나씩 풀리는 느낌이에요.

달나라 티켓, 5만 불짜리 온라인 학원, 현지 채용 증가

요즘 중국의 키워드예요.

『 달나라 티켓 』

해외에서 중국으로 오는 비행기 티켓 가격은 달나라 가는 비용보다는 싸요. 비행기 티켓가격만 보면 우주여행 하는 줄 알겠어요. 각 항공사마다 일주일에 한 도시에 한 편만 운행할 수 있어요.

탑승객 중에 중국 도착 후 **확진자가 5 명 이상 나오면 2 주간 운항 정지, 10 명 나오면 4 주간 운항 정지예요**. 정상가격으로 수지를 맞출 수 없어요. 여행사까지 끼어들어 중국으로 오는 비행기 티켓 가격이 5 백만 원이 되는 거예요.

승무원들도 해외 갔다 오면 똑같이 격리해야 해요. 이런 비용까지 비행기티켓가격에 전가되는 거죠. 승무원분들도 힘들어요. 비행 갔다 와서 격리, 격리 중 또 비행, 비행과 격리의 무한반복이에요. 외국인기장은 코로나 걸리면 바로 계약 해지이고 중국인기장들도 코로나 걸리면 최소 6개월에서 1년 동안 비행 못해요.

저 아는 분은 한국 못 갔다 온 지 조금 있으면 천일이에요. 이러다가 아라비안나이트 쓰겠다고 이야기했는데 지금 상황이면 아라비안나이트는 확정이고 일리아드 서사시도 쓰겠어요.

아무리 승무원 업무특성이라 해도 코로나 방역 때문에 호텔에서 격리한 시간이 거의 400일째 되어간다고 하네요. 무려 1년이 넘는 시간을 호텔에서 격리했어요. 올드보이도 아닌데요. 호텔에 있는 동안 매일 핵산검사해요. 혹시 코로나 바이러스에 감염되었을지 모른다는 의심 때문에요. 외국인기장들은 기회가 되면 다른 나라로 이직하려고 하고 있어요.

『5만불짜리 온라인 학원』

중국 국제학교 학비는 전세계에서 제일 비싸요. 평균 5만 불 정도 되어요. 급식비, 스쿨버스비 등을 합치면 6천만 원은 우스워요. 세계에서 제일 비싼 국제학교가 지금은 온라인 학원이 되었어요. 올해 2학기(중국은 9월에 1학기 시작해요)는 학교 간 날이 없어요. 다 온라인으로 수업했어요. 학생들 온라인 수업은 결국 부모 온라인 수업이 되는 거죠. 계속 애들 봐줘야 하고 과제체크 해야 하고 집중도도 떨어지고요.6천만원이 넘는 돈을 내고 온라인 학원을 다니고 있어요. 거기에 국제학교 교사 부족으로 학교 운영도 어려울 거고 인건비 상승은 고스란히 학비에 전가되겠죠.

『현지채용』

현지 채용이 늘었어요. 한국에서 중국으로 일하러 오겠다는 사람은 없고 들어가겠다는 사람들이 늘으니 현지에서 채용하려고 해요. 봉쇄 전과 비교해서 현지 채용 인력에 대한 수요가 늘었어요.

동방의 명주, 상하이에서 아파트 봉쇄는 시민들이 공평히 나눠쓰는 공공재가 되었어요. 순번돌리기처럼 우리 차례인가 하면서 봉쇄를 받아들여요. 예전처럼 아파트 전체를 봉쇄하지 않지만 같은 라인에 사는, 전생에 저하고 옷깃도 안 스쳤을 누군가가 확진자가 발생한 장소를 지나갔다는 이유로 아파트 한 동을 봉쇄하는 일은 지속되고 있어요.

인천공항 몇 개 지을 수 있는 돈을 핵산검사로 쓰고 있는 상황은 지속되고 있고 시간은 흘러가고 있지만 코로나 바이러스와의 싸움은 끝나지 않아요. 우리는 다 가지고 살 수는 없겠죠. 봉쇄 해제 후 60일, 일상은 돌아왔고 작은 것에도 기뻐하고 모든 것에 감사한 마음으로 생활하려고 해요.

우리는 피검체가 아니라 생명체이니까요.

Bravo
丰茂烤串
COMMUNE
COMMUNE

17. 빛과 그림자

2022년 8월 5일 금요일

안나지에 安娜姐

은행에서 일하는 아주머니가 저를 부르는 호칭이에요. 제 이름이 발음도 어렵고 길거든요. 실명으로 해야 하는 것 아니면 다 영어이름인 안나로 해요. 타오바오에서 물건 시키거나 허마에서 야채 시켜 받을 때도 수취인이름을 안나로 하거든요. 아주머니는 저에 대한 애정과 관심이 넘치세요.

제가 지난해 10월에 상하이로 왔을 때부터 신기하게 봐요. 아침마다 출근해 커피 내려 마시는 것도 신기해하고 제가 싸 온 도시락을 보면 항상 놀라세요. 중국 분들은 생야채 안 먹거든요. 제가 생야채 위주로 도시락을 싸요. 제가 먹는 모든 것이 다 신기하대요. 상하이 봉쇄 기간 동안 제 걱정도 했대요. 봉쇄 해제 후 출근해 만나니까 그동안 야채 공급이 잘 안 되어서 `안나지에가 먹을 것 없었겠구나` 생각하며 걱정했다고 하네요.

제게 배달 오는 모든 물건과 서류는 포장과 봉투를 다 벗겨 알맹이만 가져다줘요. 포장과 봉투가 지저분하고 뜯고 열기도 번거롭다고 다 뜯어 내용물을 가져다줘요. 제가 무엇을 사고 먹는지 다 알아요. 가끔 개인적인 물품도 있는데 다 포장을 벗겨 주니 당황스러울 때도 있지만 아주머니의 성의에 감사드려야죠. 저를 잘 살펴주고 많이 도와주세요. 고향에 갔다 오면 특산이라고 깨 과자도 사 오고 집에서 경단도 만들어왔다고 먹어보라고 해요.

아주머니는 장쑤성 앤청 江苏省 盐城에서 왔어요. 상하이호구도 취업허가증도 없어요. 취업허가증이 없으면 아이를 공립학교에 보낼 수 없어요. 사립이나 국제학교를 보낼 수 있지만 외지에서 일하러 온 노동자들이 그런 학교를 보내기는 어렵죠. 취업허가증이 있으면 자녀를 공립학교에 보낼 수 있지만 대도시 호구가 없으면 집도 차도 살 수 없어요.

신분증, 혼인등기, 여권을 만들고 연장, 재발급하는 것도 호구가 있는 자기고향 가서 해야 해요. **이 호구제가 바로 중국의 신카스트예요**. 5년 이상 대도시에서 소득세와 사회보험료를 내면 제한적으로 집이나 차를 살 수 있어요.

1958년에 시작된 호구제는 농촌인구의 도시 집중화 현상을 막으며 중국경제 고속성장이 가져온 번영과 풍요를 대도시 거주민들에게 편중시켰어요. 누구나 도시에 살고 싶어해요. 호구제로 도시 간 이동을 막았고 의료, 교육, 사회 인프라는 대도시 호구를 가진 사람들의 전유물이 되었어요. **인간의 기본권인 이동과 거주의 자유는 대한민국 헌법에나 있어요.**

호구제의 끝판은 입시예요. 대도시 호구가 없으면 자기고향에 가서 입시를 봐야 해요. 고향에서 입시를 하는 게 뭐가 문제냐 할 수 있어요. 누구가 가고 싶어 하는 절대명문 베이징대학 입학 정원은 3,000명 정도예요. 전국 입시 학생 수는 1,200만 명 정도 되어요. 베이징시 입시 학생 수 5만 명 정도인데 500명을 베이징대학 TO로 배정해요.

중국 전체 입시생, 1,200만 명 중에 3,000명 안에 드는 게 쉬울까요?
베이징시 입시생, 5만 명 중에 500명 안에 드는 게 쉬울까요?

계산기 안 눌러봐도 알 수 있어요. 각 대도시마다 명문대 TO가 따로 있기 때문에 도시 호구를 가지고 있는 게 훨씬 유리해요. **대도시 호구에 대한 이글거리는 욕망의 불꽃은 꺼질 수 없어요.**

대도시 호구를 받으려면 점수를 따야 해요. 학력, 직장 규모, 급여 수준, 근무 연수로 점수를 매겨요. 고학력, 고임금의 좋은 직장을 다니는 젊은 엘리트들이 호구를 받게 되는 거죠. 저희 아주머니나 기사님, 보안 직종에서 일하는 분들이 점수로 호구를 받는 것은 어려워요. 호구를 가진 사람과 결혼하면 호구를 받을 수 있어요. 대도시 호구를 가졌다는 것은 결혼 시 유리한 조건이 되어요.

상하이를 비롯한 대도시에 사는 사람들은 경제성장과 자산가치 상승의 풍요로움을 향유하면서 외지노동자들이 제공하는 저렴한 서비스를 누려요. 어느 사회든지 기득권을 떠받치는 것은 외지에서 온 노동자들이에요.

중국에서 부의 양극화, 인구 감소의 원인이 되고 있는 호구제를 개선하는 방침은 조금씩 나오고 있으나 그동안의 기득권을 흔들기는 어려울 거예요.

호구제는
누구에게
기득권을 유지하고 풍요로운 삶을 누리는 빛이지만
누구에게
넘사벽이자 세습되는 어두운 그림자랍니다.

18.뜻밖의 평등

2022년 8월 13일 토요일

상하이 기온은 체감 온도 50도가 넘는 것 같아요. 아스팔트하고 찜질방 하고 누가 더 후끈한 지 내기해도 되어요.
아파트 봉쇄가 풀리니 더위가 저를 봉쇄하네요.

제가 처음 해외 배낭여행을 온 곳이 중국이었요. 베이징, 상하이, 항조우를 배낭여행했어요. 그때만 해도 중국에서 이렇게 판깔고 살게 될 줄 몰랐어요. 알았으면 그때 집을 샀겠죠. 당시에는 여행 비자로도 집을 살 수 있었고 대출도 집 값의 60%까지 가능했어요. 지금 이런 이야기하면 호랑이가 담배 들고 올 거예요.

당시 기차표를 사려면 외국인 전용 창구가 따로 있었어요. 중국인들이 떼로 줄 서 있는 창구보다 외국인들만 따로 기차표를 살 수 있어서 오히려 나았어요. 기차표가 A4 종이 한 장만큼 내역서가 길었어요. 에어컨 비용, 청소비 등등 기차표에 구구절절 적혀 있어요. 기차 타는 시간이 길어 하나하나 다 읽어봐도 되어요. 베이징에서 상하이까지 17시간 걸렸어요. 지금은 빠른 기차로 타면 4시간도 가능해요.

상하이역에서 웃통 벗고 기차표 사려고 줄 서 있던 중국분들의 모습은 지금도 선명해요. 기획서만큼 길었던 중국의 기차표는 종이 한 장으로 슬림해졌어요. 갑자기 다이어트한 기차표가 신기했지만 들고 다니기 편하네요. 외국인 전용 창구는 사라졌고 저는 중국인들과 함께 사이좋게 줄 서서 기차표를 사야 했어요. 끼어들기는 물 스며드는 것보다 자연스러운 그들과 줄 서서 국가에 세금 내겠다는 열정으로 담배 푹푹 피워 대는 사람들과 신경전, 육탄전을 벌이면서 기차표를 샀어요. 출발지에서만 기차표 구입이 가능해서 여행 목적지에 도착하면 제일 먼저 하는 게 다음 목적지로 가는 기차표를 사는 거였어요. 기차표 일정에 여행 일정을 맞추면서 중국 배낭여행을 했어요. 걸어서 지구 한 바퀴까지는 아니어도 중국 기차만으로도 지구 한 바퀴는 돌았을 것 같아요.

2010년 대 초, 기차표는 전산화되었어요. 프린트방식이 아니라 전산으로 출력하는 종이티켓으로 바뀌었어요. 전산화로 이제는 출발지가 아니어도 다른 곳에서 출발하는 기차표도 살 수 있게 되었어요. 전체 일정에 맞는 기차표를 미리 사고 출발할 수 있는 계획성 있는 여행을 할 수 있게 되었어요. 출발지가 아닌 곳의 티켓을 받기 위해 5위안 수수료가 있어요. 그 정도 비용은 미리 티켓을 받을 수 있다면 아깝지 않죠.

2012년에 중국은 기차표 실명제를 실시했어요. 암표와 사재기로 명절이나 성수기에 기차표 사기가 어려웠거든요. 부당한 이득을 올리는 암표상과 여행사에게 날벼락이었지만 저 같은 일반인들에게 봄비 같은 좋은 소식이었죠. 초창기 실명제는 어설퍼 아무 이름이나 넣어도 표 구매가 가능했지만 중국을 띄엄띄엄 보면 안 되죠. 빠른 속도로 오류를 수정하면서 이제 진짜 실명으로 기차표를 사야 해요. 외국인들도 마찬가지로요. 명분은 암표와 사재기근절이었지만 그 뒤에 이동통제와 제한이라는 의도도 있죠.

중국에서 종이기차표는 사라졌어요.

경비청구를 위한 종이기차표는 기차역 창구에 가면 받을 수 있고 중국인들은 신분증, 외국인들은 여권으로 기차 타요.

12306이라는 한국의 코레일과 같은 앱에서 구매해요. 쯔푸바오나 위챗페이 같은 모바일 페이는 필수예요. 실명 인증도 해야 하고요. 실명 인증을 안 하고 티켓을 살 수 있지만 웨이팅을 걸거나 여러 구간의 표를 사려면 실명 인증이 필수예요. 쉽지 않아요. 기차역 창구에 가서 여권을 제시하고 해야 하는 데 직원마다 숙지도가 달라서요. 저도 몇 번의 시도 끝에 완전한 실명인증이 되어서 기차표 웨이팅도 걸 수 있어요.

좋은 의도였던 아니었던 중국 기차표 실명제는 저 같은 외국인에게 평등한 기회를 가져다주었어요. 중국인들과 같이 줄 서 힘들게 표를 사지 않아도 되고 암표상과 여행사의 사재기 때문에 구경도 못하던 기차표도 이제는 손가락만 빠르면 구할 수 있어요.

12036 앱은 제게 금요일 저녁 퇴근 후 기차역으로 가면서 목적지를 정하고 일요일에 돌아오는 기차표를 사고 떠나는 주말여행도 가능하게 했어요.

이 나라가 준 제게 뜻밖의 평등으로요.

<중국 기차표 변화>

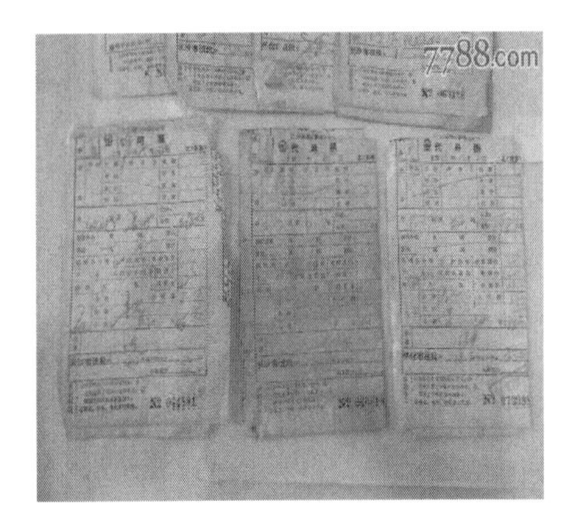

1세대 기차표

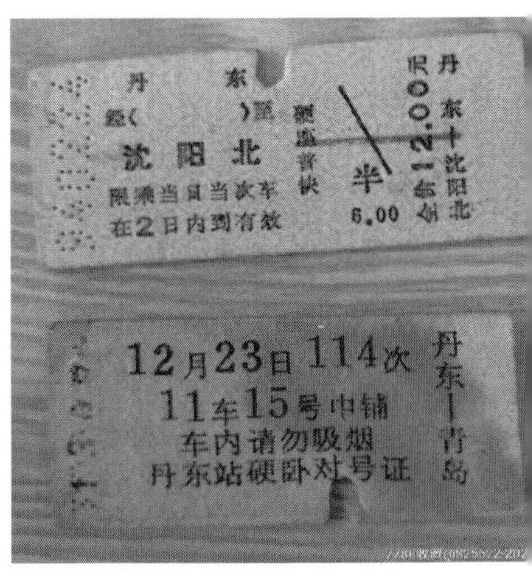

2세대 기차표

3세대 기차표

4세대 기차표는?

신분증이나 여권 스캔하고 바로 타요

19.세상에서 제일 비싼 봉쇄

2022년 8월 22일

중국 국무원에서 3가지를 하면 안 된다고 발표했어요.

도시 봉쇄
아파트(지역) 봉쇄
공공교통 중단

아직 산야三亚에 갇힌 사람들도 많은데요. 휴가갔다 쇼핑갔다 봉쇄당할 수 있어요. 이케아에 밀접접촉자 다녀갔다고 봉쇄한다고 하니 그 안에 있던 쇼핑객들이 필사의 탈출을 하는 모습이 뉴스가 되었고 산야에 휴가 갔던 일가족은 하루에 호텔비와 식사비로 만 위안씩 써야 하는 **세상에서 제일 비싼 봉쇄**를 당하고 있어요.

위에서 봉쇄하지 말라고 하고 지방정부는 봉쇄하는 위험과 모순이 상수로 존재하고 있지만 어제는 나들이하고 오늘은 마트에 갔다 왔어요. 아무래도 다이어트를 좀 해야 할 것 같아요.
봉쇄 살얼음판 위를 걸으면서 생활해야 하니까요.

20. 겨우 서른

2022년 8월 24일

1992년 8월 24일, 대한민국과 중화인민공화국이 수교했어요. 중공이라 부르던 희미하던 존재였던 중국은 우리 인지 영역에 분명하게 각인되기 시작했죠. 북한과 동일한 거리로 멀리 하던 중국이라는 나라가 갑자기 손잡고 함께 가야 할 짝꿍이 되었어요.

1988년, 서울 올림픽 전후로 개방하기 시작한 한국 경제에 걸어서도 갈 수 있는 거리에 있는 나라, 국토 안에 4계절의 기후를 다 가지고 있고 모든 산업 코드를 가지고 있던 중국은 좋은 기회였어요. 대문을 열고 골목으로 나온 우리에게 중국은 놀이판을 깔아주었고 놀이터에서 놀 수 있게 도와주었어요. 저렴한 인력과 다양한 원자재를 가진 중국은 우리에게 중개, 가공 무역이라는 판을 깔아주었고 우리는 빠른 속도로 어떻게 놀이터에서 놀아야 하는지 습득하며 빠르게 성장했어요.

13억 인구에게 1원짜리 물건만 팔아도 13억원이라는 수치는 모두에게 거대한 시장이 열렸다는 희망과 기회를 주었지만 1원만 손해 봐도 13억원 적자가 난다는 쓰라림을 못 보는 오류도 있었어요.

짬짜면도 아닌데 중국 진출한 우리들의 성공과 실패는 반반이었죠.

한중의 알콩달콩 소꿉놀이는 짝궁이 커지면서 기울기 시작했어요. 키와 덩치가 훌쩍 커진 짝궁은 골목에서 나가서 큰길에서 달리기 시작했어요. 짝궁 손을 놓친 우리는 어떻게 해야 할까 놀이터에서 왔다 갔다하고 있어요.

1988년, 서울 올림픽 이후에 태어난 세대에게 대한민국은 이미 `하늘에 조각구름 떠 있고 강물에 유람선 떠 있는 원하는 것은 무엇이든 얻을 수 있고 뜻하는 것은 무엇이건 될 수 있는` 곳이에요. 독일에서 탄광과 병원에서 일하셨던 부모님, 중동 사막에서 수로공사를 했던 삼촌 세대의 희생과 기여로 급속도로 경제적 기반을 이룬 대한민국에서 성장했어요. 풍요로운 대한민국 경제 발전의 한 축은 중국이에요.

2008년, 베이징 올림픽 이후 중국에 태어난 세대는 태어나보니 자기 나라가 G2이네요. 전 세계 5군데 있다는 불가리 호텔 중 2군데가 자기 나라에 있고 전 세계 최대 명품 샵이 편의점처럼 흔하고 장 보러 갈 때 마이바흐 몰고 다니는 나라에서 성장한 90后호우, 00后호우에게 한국은 얄밉게 공부 잘하는 모범생 같은 나라이지 두려워하거나 고려해야 하는 존재가 아니에요.

중국은 한중수교 30주년을 보지 않아요.

그들은 한중수교 100년 너머를 봐요.

우리가 놀던 골목은 이제 광야가 되었어요. 블록체인처럼 절대 끊어지지 않을 것 같았던 글로벌 공급체인은 여기저기 툭툭 끊어지고 있어요. 우크라이나에서 여전히 포화가 끊이지 않는 전쟁이 반년 넘게 이어지고 있어요. 러시아를 제재해야 한다고 대동단결한 유럽도 러시아에게 계속 가스대금을 송금해야 하고 러시아는 자산 동결 따위 상관없이 국가재정은 늘어요. 러시아가 쏘아 올린 원유 가격 상승으로 아람코는 사상 최대 수익을 어떻게 처리해야 할지 모르고 있어요.

우리에게 백마 타고 오는 초인은 없어요.

광야에서 목 놓아 불러도 초인은 오지 않아요.

우리는 스스로를 구해야 하는 초인이 되어야 하는 것이

2022년 한중 수교 30년 되는 이 날

축하케이크는 커녕,

미역국 한 그릇 없는 초라한 밥상

광야에 서 있는 우리의 현실이에요.

21.바람이 분다

2022년 9월 6일

상하이에도 선선한 바람이 불기 시작했어요. 매일 습식 사우나 무료 체험권 받는 기분이었는데 바람이 불어요. 다들 이제 좀 지낼만하다고 해요. 저는 평년보다 얼마나 더 더운 날씨였는지 모르겠지만 145년 만의 찜통 더위라는 상하이 여름을 겪었어요.

이제 잘 때 에어컨을 틀었다 껐다 하지 않아 좋아요. 낮에 에어컨을 틀어야 하지만 밤에는 선풍기 살짝 틀어놓고 잘 수 있는 정도로 기온이 내려갔어요.

날씨 앱에 기온 앞자리가 2가 보일 때도 있어요. 베이징에 계신 분이 환절기 감기 조심하라고 하셔서 웃었어요.

"여긴 아직 만두 찌고 있어요" 말씀드렸어요. 다른 곳은 이제 가을이 오나 봐요. 다들 반바지 반팔 입고 다녀요. 상하이는 봄과 가을은 없고 여름과 초겨울 날씨만 있다고 하네요.

중국 전역에 봉쇄 바람이 불고 있어요. 올림픽 성화 봉송도 아닌데 전국에서 봉쇄 봉송하고 있어요. 다롄大连, 선양沈阳, 청두成都 등 이름만 대면 전 세계인이 다 아는 중국 대도시들이 봉쇄 릴레이하고 있어요. 지난주 청두에 계신 분하고 연락했더니 9월 5일까지 봉쇄할 거라고 했어요.

주말 내내 사람들의 관심은 과연 청두가 9월 5일에 예정대로 4일 만에 풀리냐였어요. 예정대로 안 풀렸어요. 이렇게 한 달을 봉쇄해도 중국 사람들은 상하이보다 짧게 봉쇄했네 그렇게 생각하고 안도할 거예요.

베이징에서 스자좡石家庄이라는 허베이성의 성도에서 오는 교통편을 다 차단했어요. 스좌장에서 베이징까지 차로 4시간 걸리는 거리인데도요. 며칠 전부터 텐진天津에서 오는 사람들을 격리하고 시작했고요. **이렇게 수도방위를 잘하는 데 만리장성은 왜 쌓았나 모르겠어요.**

상하이도 아파트 동별 봉쇄와 빌딩 봉쇄는 여기저기 발생하고 있어요. 저희 직원들은 다 출근한 날이 없어요. 누군가는 봉쇄당해서 출근을 못하니까요. 6월 1일에 상하이 전체 봉쇄 해제되었고 3개월이 지났는데 전 직원이 다 출근해 본 날이 없어요. 항상 누군가는 출근을 못해요.

아는 분은 9월 9일 출국인데요. 투숙하고 있는 호텔이 밀접 접촉자가 있었다는 이유로 지난주부터 봉쇄 중이에요. 9월 9일 새벽에 봉쇄 해제되면 간신히 비행기 타고 출국할 수 있는 거죠.

가는 날까지 있는 정 없는 정 싹싹 다 긁어 정 떼주는 나라예요.

추석이 다가오고 있어요. 여기서는 중추절中秋节이라고 해요. 하루 쉬는데 이번에는 주말하고 붙어서 3일 연휴예요. 9월 10일부터 12일까지 3일 쉬어요. 중국도 한국처럼 성묘도 하고 벌초도 하지만 도시에서 일하는 사람들은 고향에 가는 경우는 드물어요. 휴일이 짧아요. 보통은 10월 1일부터 7일까지 쉬는 국경절 연휴를 이용해서 고향에 가는 사람들이 많아요.

우리나라 사람들은 송편을 먹지만 여기는 월병을 먹어요. 중추절에 월병을 주고받는 것은 빠질 수 없는 풍속이에요. 남송 시대 때부터 먹기 시작했다고 하네요. 월병의 가격은 몇 위안부터 몇 천, 몇 만 위안까지 천차만별이에요. 들어가는 재료도 중요하지만 월병 포장이 가격

결정에 한몫을 해요.

스타벅스월병도 있고 고디바초콜릿,하겐다즈 월병도 있어요. 티파니, 루이뷔통도 월병세트를 팔아요. 월병보다 케이스가 중요해요. 과대, 호화 포장이 문제가 되자 포장 가격이 월병 가격의 20% 이상을 초과하면 안 된다는 규제도 하고 월병의 가격이 500위안을 넘어가면 안 된다고 하는데요. 몇 천 위안 월병세트는 흔하게 돌아다녀요.

예술 작품 수준의 예쁜 월병도 많아서 감탄을 자아내지만 눈으로만 먹을 수 있어요. 우리 입맛에 잘 안 맞아요. 비싸고 예쁜 월병보다 **엄마가 집에서 만들어준 손가락 자국 꾹꾹 난 송편이 먹고 싶어요.**

월병 안에 들어가는 재료는 세상에 있는 모든 재료가 다 들어가요. 가재를 넣기도 하고요. 고기 들어가는 것도 있고요. 달달한 팥, 견과류도 넣고 계란 노른자도 넣어요.

지금은 익숙해졌는데 처음에 달달한 단팥 안에 노랗게 박힌 계란 노른자 보고 깜짝 놀랐어요. 월병에 금박을 입히기도 해요. 세상에 있는 모든 재료를 다 넣어서 루이뷔통 케이스에 넣어서 준다고 해도 한국 사람 입에는 안 맞아요.

팥 들어간 애가 제일 나아요. 월병 1/4 조각은 호기심으로, 1/2 조각은 얼떨결에 먹을 수 있어요. 한 조각 더 먹으면 이걸 내가 왜 먹고 있지 하면서 먹고 한 개를 다 먹으면 내가 이걸 왜 먹었지 하는 생각과 더불어 뭔가 마실 게 필요해져요. 아무리 뜨거운 아메리카노도 원샷 할 수 있을 정도로 목이 메어요.

우리나라 사람들에게 우리나라 기업인 파리바게트 월병이 입에 맞아요. 저는 조어대 钓鱼台 (중국 국빈관) 월병도 먹어보고 최고급 호텔 월병도 먹어봤지만 파빠 월병이 젤 나았어요.

이번 추석에 비록 3일 휴일이지만 추석이라 상하이 시내에서 관광객 놀이하려고 계획 짜고 있어요. 지인이 상하이로 와 일일투어도 하고 시내 구경하려고요.

봉쇄 폭탄 피하기가 지뢰 피하기 확률이고 언제 밀접 접촉자로 분류되어서 봉쇄당하거나 격리 시설로 끌려갈 지 모르지만 여행하기 좋은 선선한 바람이 불기 시작했으니까요.

루이뷔통 월병

파리바게트월병

22.제가 받은 추석 선물

2022년 9월 9일 금요일

어제 아침에 출근하려고 1층 현관에 가니 이렇게 봉쇄했네요.

아파트 1층 현관 봉쇄

아파트 단체 채팅방을 보니 같은 라인에 사는 사람 중 1명이 9월 3일에 확진자가 발생한 호텔에 갔다 왔다고 하네요. 새벽 1시에 봉쇄했고 그때 들어온 사람들이 단체방에 올렸는데 저는 자느라고 못 봤네요.

확진자가 발생한 장소에 갔다 온 지 5일이 지났고 사람들이 집에서 생활하는 시간보다 외부에서 활동하는 시간이 더 많은데요. 이 사람이 9월 3일부터 7일까지 외부에서 활동했던 공간과 접촉했던 사람들은 그냥 두고 주거 공간인 아파트를 봉쇄한 거예요. 밀폐된 공간에 같이 있었던 것도 아니고 확진자가 발생한 호텔을 갔다 왔다는 이유 하나로 5일이 지난 후에 아파트를 봉쇄했어요.

물질적으로 모든 것(?)을 다 가진 이 나라가 이성과 합리적 판단을 할 수 있는 능력까지 갖추면 우리나라 같이 자원 없고 사람 하나로 먹고 사는 나라가 어떻게 밥을 먹고 살겠어요. 목요일과 금요일 2일 간 봉쇄하고 9월 10일 01시에 봉쇄 해제해준다고 하네요.

정해져 있던 일정과 업무를 추석 후인 9월 13일 이후로 조정하고 봉쇄생활모드로 전환했어요. 사무실에 해야 할 일은 차곡차곡 쌓여 있는데 말이에요.

그동안 날이 더워 베이킹을 안 했어요. 지난봄 상하이 전역 봉쇄 때와 달리 이제 배달이 가능해요. 없는 재료는 온라인에 시켜 당일 조달가능해요. 간만에 어제 대파스콘, 더블치즈스콘, 녹차아몬드쿠키,초코아몬드 쿠키 구웠어요. 오늘은 양파스콘하고 통밀빵 하나 구웠어요. 냉동실이 다시 빵빵해졌어요. 홈트도 하고 업무도 하고 집안 대청소도 하고 이불 세탁도 하고요. 집 안에서도 만보 걸을 수 있어요.

중국도 한국도 농경 문화권이라 같은 명절 풍속이 있는데요. 둥근달보면서 풍요로움에 감사하면서 같이 음식을 나눠먹고 놀이를 즐기는 즐거운 명절에 문화혁명 때 사라진 전족 풍속을 소환한 것도 아닌데 사람들 발을 묶고 있네요. 아파트 단체방에서 오늘부터 여행 가려고 비행기 티켓이나 호텔 등 예약했던 사람들의 하소연과 짜증이 올라오고 있어요. 자기네들도 지금 방역정책이 효과 없는 보여주기 방역이라는 것을 알아요.

제가 2022년 2월부터 지금까지 3년 가까운 시간 동안 중국의 코로나 방역 정책을 지켜보고 경험해봤는데요. 위드코로나는 못해요. 확진자 하고 옷깃도 안 스친 사람이 사는 아파트나 근무하는 사무실을 수시로 봉쇄하고 몇 백 명 나왔다고 대도시 봉쇄도 가볍게 하는 이 나라에서는요. 중국은 적당히가 없는 나라예요.

우리나라 사람들에게 박지원의 열하 일기로 유명한 승덕, 청더承德시에서 방역정책에 협조하지 않거나 위반한 사람에게는 3대에 걸쳐 군인이나 공무원, 공산당원이 될 수 없다는 법안을 내놓았다가 철회했어요. 이렇게 코로나에 걸리면 삼족을 멸하겠다 식으로 사람들에게 공포감과 두려움을 주었는데요. 이제 와서 코로나에 걸려도 된다고 할 수 없어요. 어린아이들에게 이 장난감을 만져서도 안되고 근처에 가기만 해도 다치고 위험하다고 했다가 이제 가지고 놀아도 된다고 하면 애들이 어리둥절하잖아요.

우리나라가 위드코로나가 가능했던 이유는 국민들의 수준이 높았기 때문이에요. 의료 인프라도 있었고 스스로 판단하고 조절할 수 있는 국민들의 의식이 있었어요.

중국 인민들은 위드코로나를 할 수준과 준비가 안되어 있어요. 10월 16일 당대회 이후에 제로코로나 정책이 완화할 거라는 전망도 있어요. 저는 별 다른 변화는 없을 거라고 생각해요. 이렇게 제로코로나라는 위태로운 줄타기를 계속할 수밖에 없어요. 치료제와 백신이 나올 때까지 지루한 제로코로나 정책을 질질 끌고 갈 수밖에 없는 게 현실이에요.

예정대로 9월 10일 01시에 봉쇄 풀어주면 예약했던 호텔로 가려고 캐리어에 여행 짐 다 싸 놨어요.

자다가 봉쇄

이게 제가 상하이 시에서 받은 추석 선물이에요.

23.사면공사가四面工事歌

2022년 9월 18일

제가 지금 사는 아파트를 고른 이유는 단 하나 신축이라는 이유였어요. 홍췐루를 비롯한 이 지역 아파트들이 다 오래 되었고 낡아가고 있거든요. 홍차오 공항 옆에 새로운 CBD를 만들었지만 홍췐루에서 멀고 교통도 안좋아요.

홍췐루에서 걸어갈 수 있는 거리 안에 유일한 신축이었던 이 아파트를 선택했어요. 당시에도 주변에 아무 편의 시설도 없었고 사방이 공사판이었어요. 어쩌다 신도시 초창기 때부터 살았기 때문에 공사판 속 아파트이 낯설지 않았고 공사가 다 끝나고 나면 새로운 길과 편의 시설들이 생기면서 점차 신도시 모습이 완성되는 과정을 봐왔기에 사방이 공사판이었지만 관대한 마음으로 아파트를 계약했어요.

베이징에서 상하이로 지난 해 추석 때 와서 2박 3일 있으면서 아파트를 보느라고 제대로 둘러볼 시간도 없었어요. 지금 다시 기회가 주어진다면 일단 한달 정도 단기 숙소를 정하고 천천히 아파트를 고를 것 같아요.

지난해 10월에 상하이로 이사하고 주위 환경에 익숙해지고 보니 사방 공사판이 쇼핑몰, 건물이 아닌 사회인프라 공사였어요. 도시 지하차도를 만드는 대형 공사이고 공사 예상 종료 기간이 2025년 12월 31일이네요.

제가 중국 떠날 때까지 이 공사는 안 끝날 거네요. 떠나는 날까지 공사판 속에서 살아야 해요. 지금 기초공사를 하기 때문에 파일링 작업에 땅 파는 공사를 해서 소음과 진동이 심해요. 자기장 속에 들어가 있는 기분이에요. 집 안에 있어도 웅 하는 진동 소리에 머리 속이 갈리는 느낌이에요.

제가 선택했으니 결과도 제 몫이지만 혹독해요. 밤에라도 공사를 안 했으면 좋겠는데요. 24시간 열심히 뚝딱뚝딱거려요.

아파트 앞, 지하 고속도로를 만드는 공사현장

중국에 사는 10년이 넘는 시간 동안 공사판을 보지 않은 날이 하루도 없었어요. 항상 어딘가에 무슨 공사를 하고 있거든요. 집에서 은행까지 걸어서 가는 길 내내 다 공사를 하는 모습을 볼 수 있어요. 중국 전역이 공사판이에요.

2022년이 3개월 남았는 데 10월 1일부터 7일까지 국경절 연휴 빼면 실제 경제 활동이 할 수 있는 시간은 2달 정도 남았어요. 상하이를 포함해서 전국에서 제로코로나 정책으로 봉쇄와 이동 제한을 하고 있기 때문에 소비와 생산이 제대로 이뤄지지 못해요. 제로코로나 정책으로 스스로 발목을 잡고 있어요.

흔히 중국 경제를 시멘트 경제라고 해요. 건설로 중국 경제를 일으켰다고 할 수 있어요. 특히 지난 20년 동안 오로지 건설로 경제가 돌아갔다고 할 수 있어요. 시멘트로 일으킨 중국 경제는 모래성이죠. 언제 무너져도 이상하지 않을 모래성…건설로 더 이상 경제를 부양하기도 유지하기도 힘들어요.

상하이는 두 달이 넘는 봉쇄로 고향으로 돌아간 농민공들이 많아 인력이 부족해요. 건설인력도 부족하고 경제부양도 어려운 시멘트 경제로 끙끙거리고 있는 이 상황에 엄청난 프로젝트에 놀랬어요.

토마스 헤더윅 Thomas Heatherwick의 작품으로 기념비적인 건물이 상하이 푸퉈취 모간산루 普陀区 莫干山路에 지어졌어요.2021년 12월에 5년간의 공사를 거쳐 완공된 바빌론의 공중정원을 모티브로 지어진 아름다운 건물이에요.

〈티앤안치앤수, 天安千树〉 티앤안은 건설사 이름이고 치앤수는 천 개의 나무라는 뜻이에요. 토마스 헤더윅은 영국 건축가로 21세기 레오나르도 다빈치라고 불릴 정도로 창의적이고 기존 발상을 뒤집는 멋진 디자인으로 유명한데요. 그 분의 작품을 볼 수 있어서 기뻤어요.

상하이타워나 진마오 같이 푸동에 즐비한 고층 빌딩보다 이 건물이 더 마음에 들었어요. 마치 가우디의 사그리다 파밀리아같이 천재의 작품을 보는 느낌이었어요.

아름답고 멋진 건물을 보면서 감탄하다 그 옆에 똑같은 2기가 지어지는 것을 보고 놀라움을 멈출 수 없었어요. 도대체 이 돈은 다 어디서 나는 것일까요? 이 건물 하나만으로 5년이라는 시간과 엄청난 공사비가 들었을텐데요. 이렇게 엄청난 건물을 그 옆에 보란 듯 지어올리는 중국의 시멘트 경제가 놀랍기만 했어요. 이런 랜드마크를 끝도 없이 지어내는 이 나라는 신기한 나라예요.

초나라 패왕 항우가 해하垓下에서 한나라 병사들에게 포위당했을 때 사방에서 초나라 노래가 들렸다는데요. 중국은 지금 시멘트로 일으킨 경제가 제로코로나 정책으로 시작된 경기 침체와 성장저하에 둘러 쌓여 있는 이 순간에 공사판 뚝딱 소리가 사면초가로 들릴 듯 해요.

24.5회 상하이수입박람회CIIE

2022년11월4일 토요일

11월4일부터 10일까지 상하이 국가회의중심NECC에서 중국국제수입박람회가 열려요. 지난해 10월 상하이에 왔을 때 한번 가보고 싶었는데 사전 신청이 이미 끝나 못 가봤어요.

올해는 미리 아는 분에게 부탁해 사전등록했어요. 박람회에 참가하려면 백신을 부스터샷까지 맞아야 한대요. 자기네들도 신뢰 못하는 백신을 3번이나 맞아야 한다는 룰은 누구를 위한 룰일까요?

사람들을 박람회에 오라는 건지 말라는 건지..

저는 베이징에서 백신을 3차까지 맞아 가능했어요. 3차 백신을 2021년 12월에 맞았는데 이게 지금 무슨 효과가 있을까요?
속으로 궁시렁궁시렁, 사전등록을 했어요. 전용 앱에서 해야 하는데 물어보는 게 하도 많아 공직자 사전검증하는 줄 알았어요. 몇십 개의 질문을 다 등록하고 나서야 간신히 박람회 입장에 필요한 그린코드를 받았어요. 박람회장은 홍차오 공항 옆에 바로 있어요. 그 안에 인터컨티넨탈호텔도 있어요. 사전에 미리 내라는 자료 많았고 물어보는 것도 많아 들어갈 때 또 얼마나 까탈스럽게 검사할까 생각했는데요.

안면인식으로 바로 입장 가능하네요. 심지어 제가 사전에 낸 사진의 머리 길이와 모양이 지금과 완전히 다른데 바로 인식해 깜놀했어요. 중국의 안면인식 기술은 애플 페이스아이디보다 더 뛰어나요.
하긴 13억 인구의 얼굴을 분석하니 그 데이터 양과 수준이 당연히 높겠죠.
중국 사람들은 자국에 수입되는 물품과 수입을 할 만한 물품이 있나 보러 갔겠지만 저는 우리나라 기업들이 중국 내에 어떤 물품을 판매할 수 있는 지, 어떤 위치에 있는 지 보고 싶어서 갔어요.

우리가 중국에서 뭐로 먹고 살 건지 한중 수교 30년 넘게 풀고 있는 수수께끼예요.

전시관은 2개층,여덟 군데 주제별로 되어 있고요. 식품관부터 갔어요. 풀무원과 농심라면, 삼양식품, 오리온이 보이네요. 풀무원은 1인식에 특화된 음식을 전시했어요. 농심은 컵라면 모양의 부스로 눈길을 끄네요. 삼양은 중국에 법인 설립한 지 1년 만에 대규모 전시회에 부스 내고 참가하는 것 보니 뿌듯하네요. 오리온은 30년 넘는 중국 사업 경륜에 맞게 부스도 크고 다양한 제품을 전시해 놨어요. 식품관에서는 우리 기업들 부스가 여러 개라 기분 좋았어요.
기술관에서 삼성전자 부스를 봤어요. 3나노 반도체를 전시해 놨어요. 전 반도체를 실제 본 것이 처음인데 그것도 귀하디 귀한 3나노 반도체를 보게 되네요. 130인치 세계에서 제일 큰 TV와 마이크로 LED도 볼 수 있었어요. 폴드와 플립 휴대폰에 중국 사람들도 관심을 보이네요.

화장품에서는 아모레가 부스를 냈어요. 지금 중국 화장품도 수준이 많이 올라왔어요. 하이엔드급 고급제품은 세계적 브랜드 시슬리,라프레리하고 경쟁해야 쉽지 않아요. 지금 누구나 기획만 하면 화장품을 만들 수 있는 시대가 됐지만 그래도 전통과 기술을 가진 우리나라 제품이 꾸준히 성장하고 사랑받았으면 좋겠어요.

자동차관에 현대와 기아 부스가 있었어요. 실제 수소 트럭도 전시하고 수소관련 장치도 전시해 놨어요. 전 세계 내노라하는 자동차 브랜드는 다 부스냈고 테슬라관에는 사람이 붐비네요.

의료, 서비스 무역 쪽으로 우리 나라 기업 부스는 없었어요.
다리 아프게 열심히 박람회를 둘러본 느낌은 우리가 신기술, 고부가가치 산업 쪽으로 발전해야 한다는 거예요. 힘겹게 몇 개 대기업들이 세계의 여러 대기업들과 경쟁하고 있어요. 국가가 로드맵을 잘 그려야 해요. 우리가 올라운드플레이어가 될 수는 없어요. 이제는 선택과 집중이 필요한 시기가 된 것 같아요.

로봇이 자동차 조립을 하는 부스에 사람들이 몰려 관심을 보여요. 앞으로 산업은 당연히 무인화, AI로 발전할 거예요. 중국의 무인화 기술은 생각보다 속도가 빨라요. 이건 다음에 따로 이야기 해드릴게요. 이제 우리는 **퍼스트 무버**가 되어야 한다는 배역에 원했든 원하지 않았든지 캐스팅되었어요.

삼양식품에서 혹시 봉쇄되면 먹으라고 라면을 챙겨주셨어요.에코백과 내년 달력도 주셨어요. 봉쇄 안되어도 라면 다 먹을 수 있어요.

감사합니다.

第五届中国国际进口博览会
THE 5th CHINA INTERNATIONAL IMPORT EXPO
SAMSUNG
全球首发 3 纳米 GAA 制程工艺
三养
Pulmuone
Pulmuone Pasta
圃美多

25. 솽스이双十一아무 것도 사지 않은 날

2022년 11월 11일 금요일

오늘은 11월 11일
중국판 블랙 프라이데이라고 하는 솽스이双十一예요.
솔로를 뜻하는 1이 4개가 겹친 날이죠. 광군제光棍节라고 불러요. 2009년도에 타오바오에서 처음으로 솔로를 위한 위로차원에서 생필품과 솔로들에게 필요한 가전 제품을 저렴하게 팔기 시작했고 2010년대로 넘어오면서 점점 판이 커지기 시작했어요.

제가 베이징에서 생활하기 시작했던 2011년도만 해도 11월 11일에 할인하는 제품 있으면 사면 아니면 말까 하는 그런 평범한 날이었는데 온라인 플랫폼과 중국 경제 성장, 세계적 경제 호황과 맞물려 점점 광군제는 급속도로 성장했어요.

몇 년 전만 해도 항조우 알리바바 본사에서 매년 11월 11일 00시 01초 땡 하는 순간에 매출 몇 조 올리는 지가 세계적인 관심사였고 생중계 되었어요. 웬만한 나라 1년 GDP 정도는 11월 11일 하루에 찍는 것은 일도 아니었어요. 전 중국인이 11월 11일에 타오바오만 했다고 해도 지나치지 않아요. 온라인 결제가 폭증하면서 트래픽이 생겨 2중, 3중 결제되기도 했고 그 차액 정산하는 데 한 달도 넘게 걸리기도 했어요.

11월 11일에 주문한 물건 받으려면 목이 길어져야 했고(기다리느라고) 택배 포장 쓰레기로 중국 전역이 몸살을 앓았어요. 중국판 블랙 프라이데이로 대성공을 거둔 광군제에 자극받은 징동은 징동 창립일인

6월 18일에 행사하기 시작했어요.

쇼핑과 상관없는 호텔, 여행사, 항공사, 음식점에서도 11월 11일에 마케팅하기 시작했어요. 11월 11일에 숙박권, 여행 상품권, 항공권, 식사권 등 선불카드를 판매하면서 중국의 새로운 마케팅데이로 확실한 자리매김을 했어요. 원래 솔로를 위한 날이었기 때문에 혼밥세트도 출시한 레스토랑도 있어요. 세트메뉴 가격이 1,688 위안 (330,000원 가량), 그래도 전 세트 팔았다고 하니 다양한 얼굴의 중국이에요.

중국사람들이 쇼핑을 많이 하는 시기는 한국하고 비슷해요. 춘절(한국 구정)에 고향으로 돌아가면서 귀경선물 많이 사고요. 6월 1일 어린이날, 5월 두 번째 일요일인 어머니날, 6월 세 번째 일요일 아버지 날, 음력 8월 15일 중추절, 9월 10일인 스승의 날이에요.

이런 전통적인 명절 말고 기업체에서 쇼핑하라고 부추기는 날은 2월 14일 칭런지에 情人节(발렌타인데이), 3월 8일 푸뉘지에 妇女节 (여성의 날), 음력 7월 7일 七夕节 (칠월칠석), 핼러윈데이万圣节, 크리스마스 圣诞节 이런 현대식 기념일에도 마케팅 열기가 뜨거워요.

타오바오나 징동앱을 열면 항상 뭔가 이벤트가 있고 할인하는 척을 해서 이제 11월 11일 00시에 전 중국사람들을 깨워 앱을 클릭하게 했던 한때 뜨거운 바람은 식었어요.

2019년 11월 우한에서 폐렴 환자가 발생했다는 카더라에서 시작했던 코로나 바이러스는 전 세계를 휩쓸면서 빅뱅처럼 기존 패러다임과 세계 질서를 흔들었어요. 우리나라를 포함한 모든 나라가 성장통처럼 코로나와 힘들고 아픈 전면전을 치뤄야 했고요.

아직 WHO는 코로나를 위험한 질병 1등급으로 분류하고 있고 여기저기서 코로나 감염자가 생기고 있지만 이제 코로나는 우리의 일상이 되었어요. 오늘도 중국 전역에서 3일에서 10일간의 지역, 아파트 봉쇄를 서로 던지고 주고받아요. 2018년부터 시작된 중국 빅테크 기업에 대한 제재와 2019년도에 시작된 코로나로 인한 경제 침체와 소비력과 생산력 감소 속도는 줄지 않아요.

오늘 광군절 서프라이즈 선물도 아닌데 해외 입국 시 격리 기간을 기존 시설 격리 7일+ 자가 관찰 3일에서 시설 격리 5일+ 자가 관찰 3일로 2일 줄인다고 발표했어요. 이제 격리기간은 8일이고 입국 전 받아야 하는 코로나 검사는 2회에서 1회로 줄었어요.

코로나 방역 정책 완화하고 달팽이 하고 누가 더 느리게 가냐 내기해도 되겠어요. 긴 병에 효자 없다는 데 중국은 3년째 코로나 간병을 하네요. **그 끈질김과 강인함에 박수를 보내면서 중국에서 와서 처음으로 아무 것도 사지 않은 11월11일를 보냅니다.**

26.대한민국 국호가 시작된 곳-상하이

2022년 11월 19일 토요일

베이징에 여행을 오는 사람들이 가는 대표적인 관광 명소는 자금성과 만리장성이고 상하이에 여행을 오는 사람들은 와이탄과 예원을 가요. 상하이에 오는 한국인에게 꼭 가봐야 할 곳이 2군데 더 있죠.

상하이임시정부청사와 윤봉길 의사의 의거 현장, 홍코우공원虹口公园(지금은 뤼순공원鲁迅公园으로 이름을 바꾸었어요). 우리에게 화려한 와이탄 야경과 푸동의 번쩍번쩍한 스카이라인보다 더 의미 있고 소중한 곳일 수 있어요.

제 첫 번째 해외 여행지는 베이징과 상하이였어요. 베이징에서 자금성과 만리장성을 갔었고 상하이에서 남들 다 가는 예원과 와이탄도 갔지만 제일 먼저 간 곳은 상하이 임시정부청사였어요.

그때만 해도 임시정부청사 옆 집을 임대해 자료관을 만들기 전이었고 관리하는 사람도 없었던 가정집 달랑 한 칸이었어요. 1919년 3월 1일 만세 운동 후, 내 조국 산천을 떠나 이리저리 떠돌아 상하이까지 와서 그나마 우리나라에게 호의적이었던 프랑스 조계지 안에서 집 저 집 옮겨 다니던 임시정부청사의로 추정되는 곳에 현재 상하이 임시정부청사가 남아있어요.

정부청사라고하면 광화문청사나 과천정부종합청사를 생각하던 제게 옆 집에서 빨래하고 있고 다른 집은 도마 위에서 생선 손질하는 살림집 사이에 외롭게 남아있던 임정청사는 초라해 보였고 슬펐어요.

일제 단속과 탄압을 피하기 위해서 가정집으로 위장할 수밖에 없었고 돈이 없었던 상황에서는 그럴 수박에 없었을 거예요. 외로이 혼자 있는 임정청사를 보면서 눈물이 났어요.

2004년도, 상하이시 조계지 재개발 이슈로 임정청사가 있던 동네가 헐릴 뻔했어요. 당시 정부와 민간의 눈물겨운 노력으로 간신히 보존할 수 있었고 옆집을 자료관으로 만들면서 지금은 두 집을 합쳐 덜 외로운 모습으로 서있어요.

상하이에서 시작한 임정은 항저우, 창사,광조우 등 남쪽 여러 지방을 떠돌다가 중경에서 광복을 맞이하면서 긴 유랑 생활을 끝내요. 상하이임정시절 처음으로 **대한민국**이라는 국호를 사용하고 임시헌법을 만들면서 민주제라는 국가 정치 체계의 초안을 정했어요.

***대한민국**이라는 **국호**와 **민주공화제**의 우리나라는*
***중국 상하이**에서 시작되었어요.*

상하이에 모든 관광객들이 방문하는 난징루 보행가 거리인 지우지앙루 九江路 600번지에 룽안백화점永安百货店이라고 있어요.개화기 스타일이 고스란히 남아있는 이곳 옥상에서 1921년 1월 1일 임정 정부 인사들이 신년하례식을 치뤘던 장소가 남아있어요. 평소에는 개방 안 하는데 행사가 열려서 가볼 기회가 생겼어요.

히어로 역사학교 100기 수료기념식을 이곳에서 했고 저는 게스트로 초대받았어요. 국기에 대한 경례와 애국가를 부르는 국민의례를 했어요. 기념식에서 애국가는 고등학교 졸업 후에 처음으로 불러보는 것 같았어요.

해외에서 살면 애국가나 아리랑을 들으면 눈물이 자동으로 흐르게 DNA가 재조합 되어요.

독립운동가분들의 후손들도 오셨어요. 사진으로만 보고 기록에서만 보던 분들의 후손들이 상하이에서 살고 계세요. 지금은 중국 국적으로 중국어를 사용하고 중국에서 사시지만 이 분들의 할아버지, 증조할아버지가 100여년 전 우리나라의 독립을 위해 목숨 걸고 헌신하셨던 것이 우리 역사예요.

상하이 교민들의 실내악 리앙 앙상블공연도 있었어요.
상하이에는 우리나라 독립운동과 관련된 곳이 있어요. 윤봉길 의사 의거 현장인 홍코우 공원을 비롯해 독립운동 작전을 모의한 푸씽공원 등 독립 운동가분들의 살았던 집들도 있어요. 지금은 번지수말고는 어떠한 느낌도 흔적도 남아 있지 않아요.

역사는 공동의 기억이라고 하죠.
기억하지 않으면 독립 운동의 흔적은 희미해지고 바래갈 거예요.
100여년 전 있었던 일을 알 수 없고 실감할 수 없어도
우리는 대한민국, 민주주의 국가의 국민이니까요.

27. 세상에서 제일 행복한 연체료

2022년 11월 22일 화요일

상하이는 봉쇄 아닌 새로운 봉쇄를 시작했어요. 뉴노멀 봉쇄라고 해야 할까요? 상하이 외부에서 들어온 사람들은 5일 동안 아무 데도 못 가요. 헬스코드随身吗에 5일 미만이라고 뜨거든요. 집하고 자기 회사 사무실만 갈 수 있어요. 자기 집에라도 갈 수 있게 해 준 것을 고마워해야 하는지..

사무실이 공공장소(공공기관, 은행 등등) 이면 출근도 못해요. 집 현관문을 잠그지 않아도 잠근 것과 동일해요. 음식점, 상점, 마트, 시장, 미용실, 헬스장과 공공장소를 못 가면 어디를 갈까요. 열심히 길만 걸어 다니면 되겠네요. 어젯밤 기습적으로 발표하고 2022년 11월 24일 00시부터 시행했어요. 23일에 출장 갔다가 복귀한 사람들도 적용 대상이에요.

항상 저희는 왜 중국사람들의 창의력에 감탄해야 하는지..

봉쇄 아닌 봉쇄에 마음도 발걸음도 얼어붙으면서 위축되네요. 할 일 없으면 책이나 읽으라고 하는 데 해외 살면 책 읽기 쉽지 않아요. 일단 책을 구하기도, 구입하는 비용 모두 만만하지 않으니까요.

고등학교 때 기승전 입시가 절대 선이었고 공부 말고 다른 활동을 하면 안 되었던 메말랐던 시기에도 방학이 되면 태백산맥, 토지,아리랑 등 대하소설과 문학전집을 읽어내던 열정은 고등학교를 졸업하면서 같이 졸업했어요. 대학생 때는 전공 책 읽기도 바빴고 사회인이 되면서 업무 관련 책 읽기 바뻐요. 은행은 업무관련시험 보는 것말고도 이수해야 하는 과정도 많아 주말에도 공부해야 할 때도 있었어요. 핑계 없는 무덤은 한국에도 중국에도 있네요.

2011년부터 베이징에 살기 시작하면서 한국 책 읽기는 점점 힘들어져 가면서 자연스레 책과 멀어졌어요. 중국에는 태어나서 걸음마부터 중국에서 시작하는 우리나라 어린이들이 있어요. 유치원 때 혹은 초등 저학년 때서부터 중국에서 살게 되는 아이들도 있고요. 이 친구들에게는 한국 책이 필요해요. 모국어 실력만큼 외국어가 가능하니까요. 아직 모국어가 완벽하지 않은 친구들에게 책 읽기와 글 쓰기는 필요해요.

베이징 왕징에 〈작은 도서관〉, 칭다오에 〈경향 도서관〉,상하이 홍췐루에 〈희망 도서관〉이 있어요. 일부 기업의 후원과 교민들의 자원봉사로 유지되어요. 책을 관리하고 빌려주고 정리해주시는 모든 분들은 다 자원봉사하시는 교민분들이세요. 그분들의 희생과 노력으로 베이징과 상하이에 사는 교민들은 책을 한국에서처럼은 아니어도 접할 수 있어요.

이제 전자책도 있고 오디오책도 있고 앞으로 손가락으로 허공에 네모를 그리면 스크린이 생기고 그 안에 텍스트가 뜨는 시대가 오겠지만 손으로 한 장 한 장 넘기면서 눈으로 읽는 종이책은 영원히 우리에게 필요해요.

해외 산다, 바쁘다, 시간 없다 등등 책 안 읽는 핑계는 백 만개도 댈 수 있는 제가 일주일에 한 권씩 책 읽기를 시작했어요. 저보다 더 바쁘시고 할 일도 많으신 분이 시내에서 사시면서 일주일에 한 번씩 책을 빌리고 반납하기 위해서 홍췐루로 일부러 시간 내서 오시는 것을 보면서요.

남들은 차 타고 시간 내서 여기 홍췐루에 와야 하는데 저는 점심시간에 걸어 갈 수 있는데 왜 책을 안 읽고 있는지 반성했어요. 상하이 희망도서관에서 일주일에 1권을 빌리고 그 다음 주에 반납을 해야 하는 스스로의 규정을 만들었어요. 사람이 자율적이기 힘들다는 것은 우리 모두가 알잖아요.

기간 안 정해놓고 책 읽겠다는 것은 시험 안 봐도 공부하겠다는 것하고 똑같아요. 제가 스스로 1주일에 1권씩 읽겠다는 규정을 만드니까 책을 반납해야 하는 월요일이 되기 전에 어떻게든 책을 읽어야 했고 시험 보기 전날 밤 벼락치기 하는 학생처럼 일요일 밤에는 몰아서라도 책을 읽고 있어요.

원래 월요일에 책을 반납해야 하는 데 이번 주는 제가 날짜를 착각해서 화요일에 갔어요. 평소처럼 한 권 반납하고 한 권을 대여하려니 하루 늦어 연체료가 있대요. 그동안 늦게 반납한 적이 없어서 제가 도서관 운영 방침을 몰랐던 거예요. 연체한 일수만큼 책 대여를 못하거나 연체료를 내야 한다고 하네요.

안 그래도 책 빌려 읽으면서 늘 미안한 마음이었는데 기쁜 마음으로 연체료를 냈어요. 고의든 아니든 날짜를 착각한 것은 제 잘못이니까요. 희망 도서관에 조금 더 후원을 해야겠다고 계획 중이에요. 세상에서 제일 행복한 연체료를 내고 빌린 책은 이 책이에요.

이 책, 제게만 필요한 걸까요?

SHANGHAI
HOPE
LIBRARY
SINCE 2009

SHANGHAI
희망도서관
01 도서열람
도서대여 02
03 문화 프로그램
04

유시민
어떻게 살 것인가
0002508

28.초대받지않은 손님

2022년 11월 29일

2019년 11월, 중국이네에 **초대받지 않은 손님**이 찾아왔어요. 전에 왔던 것 같기도 한데 전혀 생각하지도 않았고 만나 본 적 없는 새로운 불청객은 현관문을 열고 순식간에 거실까지 들어와 버렸어요. 거실까지 차지한 불청객이 나가야 하는데 안 나가야 하네요. 불청객은 집에 있는 모든 공간에 슬금슬금 자리를 차지했어요. 드는 자리는 표 안나도 나는 자리는 표가 안 난다는 데 이 손님을 들어오는 모든 공간에 표시를 남기네요. 중국이네 집에만 있었으면 좋았을 **초대받지 않은 손님**은 중국이네 집에 확실히 자기 영역을 확보하고 다른 라인의 집까지 스멀스멀 스며들어갔어요.

좀비같은 속도로 바로 옆 집이었던 한국이네 집에 가서 온통 휘젓어 놓고 미국이네하고 이따리네도 가서 거실까지 온통 어질러놨어요. 모든 집들이 **초대받지 않은 손님**을 맞이했고 공간을 내주고 손님이 냉장고 열어 쟁여 놓은 음식들 먹어 치우고 화장실을 엉망으로 쓰고 분리수거도 안 하면서 쓰레기를 현관 입구에 쌓아놓는 꼴을 봐야 했어요.

시간이 흐르면서 손님이 주인 행세하는 주객전도에 휘말리던 집주인들이 정신을 차리기 시작했어요. 손님 길들이기와 달래기에 나섰어요. 제발 이 불청객이 집에서 나가주면 좋겠는데 얘는 나갈 생각이 없어요. 어르고 달래고 여비도 줘봤는데 안 나가네요. 집안이 엉망이니 무슨 일이 제대로 되겠어요. 결국 우리들은 초대받지 않은 손님과 같이 살기로 했어요.

그 대신 거주할 수 있는 작은 공간을 마련해주고 쓸 수 있는 물건도 주기로 했어요. 따로 살고 싶지만 죽어도 안 나가도 집에 찰싹 들러붙어 있는 **초대받지 않은 손님**이 더 이상 우리 집안을 어지르거나 쿵쾅거려 층간소음분쟁 일으키지 말고 분리수거는 고사하고 음식물 쓰레기와 일반 쓰레기라도 나눠 버려 주기 바라면서요.

손님도 알아요. 적정선을 지키지 않고 더 많은 공간을 차지하려고 하면 주인들이 아예 집을 팔아버리거나 헐어버릴 수도 있다는 위험성을요. 이제 **초대받지 않은 손님**을 웬만한 집에서는 그냥 가구 취급해요. 소용없는 물건인데 버리지도 못하고 유지, 보수비만 드는 가구

3년 동안 우리들은 이렇게 불청객과 싸우고 화나고 물건 집어던지고 소리 지르고 싸우다 이제 서로가 적정한 타협선을 찾아서 같은 공간에서 각자의 삶을 살기로 했는데요. 이 **초대받지 않은 손님**을 중국이네는 아직도 국빈 대접하고 있어요.

초대받지 않은 손님을 위해서 안방도 내어주고 전용욕실도 내어주고 이 손님을 위해 집에 사는 모든 사람들이 불편함과 고통을 감수하고 있어요. 손님 깰까 봐 발 뒤꿈치도 살금살금 들고 다녀야 해요. **층간 소음 분쟁보다 손님의 신경질이 더 무섭네요.**

원래 살던 사람들이 주인인데 손님이 안방 차지하고 드러누워 이래라저래라 손가락 까딱 까닥, 발목 건들건들 흔들며 사람들은 쥐고 흔들어요. 그 무례하고 불쾌한 손님의 갑질에 저 같이 중국이네 알파룸(어떤 아파트에서는 다용도룸이라고 해요. 방이라고 하긴 좀 작은 공간)에서 더부살이하는 외국인들도 같이 당하고 있어요.

어렸을 때 언니가 종로에 있는 학교를 다녔어요. **지붕 파란 집** 이 옆에 있어서 **대머리 아저씨 부부**가 해외 순방 갔다 오거나 외국에서 국빈

이 오시면 수업시간에 길거리에 나가 태극기 흔들어야 했어요. 수업 안 한다고 좋아하던 철없는 학생들도 있었고 공부 시간 뺏긴다고 민감한 학생들도 있었지만 왜 학생들이 행사에 강제로 동원되어야 하는지에 대한 의문은 없던 때였어요.

저는 지금 **지붕 파란 집**이 있는 동네 학교 다니는 학생도 아닌데요. 중국이네가 하는 국빈 행사에 강제로 끌려 다니고 있어요. 다른 집들은 가구 취급하는 초대받지 않은 손님을 모시기 위해서요.

중국이네에 **초대하고 싶지 않은 손님**들도 찾아오기 시작했어요. 지난주 토요일 상하이 우루무치길에서 그 동네에 사는 신장 분들이 모여서 초대받지 않은 손님에게 안방 내주고 왜 우리는 아파트 현관 밖에 세워놓고 집에도 못 들어가게 하냐고 **하얀 종이** 들고 이야기했어요. 중국이가 화가 나서 길 표지를 떼어버렸어요. 그렇다고 길이 없어지나요.

중국이네는 **초대받지 않은 손님**하고 **초대하고 싶지 않은 손님**까지 온통 바글바글 풀하우스네요. 원래 중국이네가 집이 좀 커서 사람들이 많은데 손님들까지 북적이니 저같이 소심한 더부살이는 정신이 없네요. 제정신 줄 잘 잡고 중국이네가 손님들을 어떻게 모시는 지 잘 봐야겠어요.. 3년째 손님 치루고 있으니 피곤하네요.

1967년, 미국에서 개봉되었고 그 해 아카데미 시상식에서 여우 주연상, 각본상, 음악상을 받았던 영화 〈초대받지 않은 손님〉은 인종을 초월한 사랑의 결혼식으로 유쾌하게 끝났는데요.

"

중국이네의 초대받지 않은 손님은

언제, 어떻게 집에서 나갈까요 ?

"

30.이모님 모셨어요. Feat 로보락 청소기

2022년 12월 2일

공부하고 청소하고 둘 중에 어떤 것이 더 하기 싫을까요?
대답은 ` 아빠가 좋아, 엄마가 좋아 `하고 같을 거예요.

베이징에서 살 때 일주일에 한 번씩 청소해주는 분이 있었어요. 토요일마다 와서 2시간 정도 집안 청소와 운동화 빨래, 창문닦기 등등을 해주셨는데요. 제가 제일 하기 싫은 청소가 샤워부스 유리닦기,변기청소였어요. 저는 주중에 한번 정도 가벼운 청소를 하면서 편하게 생활했어요. 2011년도에 1시간에 15~20위안 하던 임금은 서서히 올라 지난해에는 1시간에 40위안까지 올랐어요.

중국은 빈부 격차가 심한 데 도농 간, 동서 간 격차도 심해요. 아무래도 돈 되는 산업은 다 동쪽에 있으니 일하러 오는 사람들은 대부분 서쪽이나 내륙에서 와요. 그래서 중국이 동수서산 东数西算을 하려는 거예요. 중국 동부 데이터를 서부로 옮겨 처리하는 프로젝트를 해 동, 서 간의 경제 격차를 줄이려고 하는 거죠.

대도시에서 일하는 분들은 거주비를 절약하기 위해 시 외곽에서 여러 명이 같이 거주하거나 아파트 내 지하공간에서 생활하기도 해요. 오토바이를 타고 다니면서 아파트마다 돌아다니면서 청소하거나 입주아줌마로 들어가기도 해요. 입주하는 경우는 8,000위안에서 시작해서 학력, 능력, 경력에 따라서 몇 만 위안까지 올라가요.

언니가 러시아 모스크바에서 살 때 우크라이나 분이 청소해주었다고 하네요. 어느 나라나 그렇듯 이런 일들은 상대적으로 경제력이 떨어지는 국가의 저소득 계층이 하게 되어요.

오죽하면 필리핀 내니Nanny가 세계의 가정부라는 말이 있겠어요.

지난 해에 상하이로 와서 이사 초기에 58同城앱에서 시간제로 일하는 분들 불렀어요. 상자 푸는 것부터 집안청소 및 정리까지 남의 도움이 필요하니까요. 앱에서 부르면 보통 2시간에 100위안 정도 해요. 한국 돈으로 계산하면 시간당 단가가 9천 원 정도 되는 듯해요. 일하는 분들을 구할 수 있는 플랫폼은 많아요. 허마盒马에서도 부를 수 있어요.

저희 집에서 청소하고 가신 분들 중에서 잘 맞는 분에게 이제 고정으로 해달라고 했어요. 이 분은 저를 좋아하시는데 중국어 문자를 휴대폰에 입력 못하세요. 제가 문자를 보내면 답장을 음성 메시지로 보내세요. 이 분 덕택에 중국어 듣기 공부를 따로 하지 않아도 되어요. 알아듣기 힘들어 몇 번씩 되풀이해 들어야 해요.

그렇게 저희 집을 1주일에 한번씩 청소하기로 정하고 한번 다녀 가시자 마자 춘절이네요. 아주머니가 고향에 가셨어요. 일하는 분들은 보통 춘절에는 한 달씩 고향에 가요. 입주하시는 분은 그때 왕복 차비와 한 달 정 급여를 보너스로 드리는 게 관례예요. 저같이 시간제로 쓰는 사람들도 홍바오나 선물을 드릴 때도 있어요.

저는 다시 혼자 씩씩대며 청소했어요. 춘절과 음력 보름까지 쇠고 아주머니가 돌아오셔 저는 이제 좀 청소에서 해방되냐 했더니 3월부터 상하이 봉쇄네요. 결국 그분은 저희 집 청소 2번 하고 저하고 인연은 끝났어요.

상하이 봉쇄 기간 동안에 청소 열심히 했어요. 시간도 많았고 마음도 혼란하고 어지럽고 복잡하니 자꾸 일을 만들어서라도 해야죠. 상하이 봉쇄 끝나도 이제부터 계속 혼자 청소해야겠다고 생각했는데 봉쇄 풀리자 다시 마음이 간사해져 힐끔힐끔 앱에서 집안청소 아줌마 가격을 보게 되네요. 한달에 한두 번은 불러서 청소하고 나머지는 제가 청소하다가 바닥 쓸고 닦는 것을 아웃소싱하기로 했어요.

로봇청소기를 폭풍검새과 자료조사 후,로보락 청소기를 사기로 했어요. 물걸레질도 해주고 걸레도 자기가 빨겠다고 하니 기특해서요. 가격은 만만치 않네요. 3,800위안, 한국 돈으로 70만 원이 넘어요. 이 돈이면 1년 동안 일주일에 한 번씩 청소하는 분을 부를 수 있는 돈이에요. 한동안 고민하다가 한국에서 150만 원에 팔리는 것을 보고 여기서 절반만 주고도 살 수 있네 하면서 스스로 합리화시켰어요.

중국에서 石头G10S AUTO, 한국에서는 로보락 S7 Max V Ultra 모델이에요. 징동에서 주문하고 다음 날 퇴근했는데 문 앞에 몸집 큰 상자가 앉아 있어서 놀랬어요.
상자가 어찌나 큰 지 코끼리 들어 있는 줄…

내용물을 꺼내 조립했어요. 전용 세제도 있어요. 물통에 정수기물 넣고 세제를 조금 넣어줘야 해요. 앱을 깔고 충전 후 청소해봤어요. 저희 집이 계약서 면적은 85제곱 평방미터인데 실 사용 면적은 70제곱 평방미터 정도 되어요. 방 2개(방 하나는 좀 작아요) 주방, 욕실, 거실, 베란다 있는 구조예요. 신기하게도 장애물 잘 피하네요. 예전 로봇 청소기는 충전선 등에 끼여서 혼자서 씨름하는데 애는 아예 피해버려요.
중간에 청소하다가 다시 도크로 돌아가길래
`아니 청소 다 안 했잖아` 했더니
`걸레 빨고 올게요` 하네요.
자기가 걸레 빨고 스르르 나와 나머지 공간을 청소하고 도크로 돌아가서 걸레 빨고 충전하네요. 먼지 자동 비움 기능이 좋아요. 청소기를 사용하면 청소기도 청소해야 하는데 얘는 자기가 먼지까지 비우니 기특해요. 저보다 걸레질을 잘하네요. 음파진동으로 걸레질해 균일하게 닦고 특히 침대 밑 등 빈 공간까지 들어가서 청소하고 매트 깔아 놓은 것도 인식하네요. 40분 정도면 집안 바닥을 다 청소해줘요. 출근할 때 돌려놓고 나왔다가 퇴근할 때 집에 들어가면 괜히 기분이 좋아져서 웃음이 나와요.

샤오미 청소기 1세대 좋다고 여기서 사서 한국 집에 가서 가지고 갔던 것이 얼마 안 되었는데 이제 물걸레까지 자기가 알아서 빨 수 있는 정도로 발전했어요.

로보락은 샤오미가 펀딩한 회사예요. 1994년 베이징에서 창립한 스타트업인데요. 불과 10년도 안되어 이렇게 빠른 기술 향상과 진보를 보여주네요.

중국 전자 제품이 극강의 가성비를 보여주면서 세계의 가전제품이 돼가네요. 우리나라 가전들을 하이엔드 제품으로 갈 수밖에 없고 가야만 한다는 것은 정해져 있는 답이에요.

다이슨처럼 넘사벽의 기술을 가지거나 발뮤다 같은 디자인과 브랜드 파워를 가지기 않으면 중국 전자 제품에 밀리지 않을 수 없어요.

저희 집에 새로 오신 이모님은 제가 중국을 떠나는 날까지 잘 도와주실 거예요. 제가 떠날 때 이 청소기는 다른 분에게 드리고 가려는데요. 왜냐고요. 컨트리락이 걸려있어 중국에서 산 청소기는 한국에서 사용할 수 없어요.

받으시고 싶은 분 미리 예약 받을게요.
양도 날짜는 정해드릴 수 없지만요.

드디어 위드코로나

30.준비됐나요? 시작할까요?

2022년 12월 8일

물어보지도 않고 중국의 방역 정책이 변했어요.
방역 정책을 정할 때도 물어보지 않았으니 바꿀 때도 안 물어보는 게 당연하겠죠.

11월 26, 27일에 모였던 하얀 종이를 든 사람들이 무서웠을까요? 아니면 그 덕으로 이러지도 저러지도 못했던 진퇴양난의 막혔던 물길을 터주기 바랐을까요?

방역정책 변화 속도는 홍수로 범람한 강물처럼 빠르네요. 그제까지 코로나에 걸리면 삼대를 멸하고 능지처참형에 처할 것처럼 엄포놓더니 12월 7일, 어제부터 전염병은 개인의 책임이니 이제 각자도생 하라고 하네요. 코로나 바이러스 양성자 중 무증상자나 경미한 사람과 밀접 접촉자도 자가 격리가 가능하다고 했어요.

코로나 증상을 감출 수 있다고 엄격하게 판매 제한했던 해열제, 진통제 등, 감기약은 판매가 허용되자 가격이 폭등했고 매진되었어요. 코로나 자가 진단 키트도 사재기하고 있네요. 상하이 봉쇄할 때 매일 줘서 꼴도 보기 싫었던 자가 진단 키트를 사용할 날이 왔네요. SNS마다 코로나 자가 치료에 관한 자료들이 공유되고 있어요.

2020년 봄부터 어디를 가든 무조건 스캔해야 하는 장소마 스캔도 병원, 학교,양로원,고아원 등의 일부 장소를 제외하고는 안 해도 되어요. 3년 동안 잡혀있던 끈끈한 거미줄에서 풀려난 느낌이에요.

중국의 모든 정책은 짧아도 5년, 적어도 10년, 보통은 30년, 길게는 50년, 100년을 보는 긴 안목과 추진력을 가지고 있어요. 5년마다 정권이 손바닥처럼 뒤집히는 우리나라 입장에서 보면 부러운 점도 있답니다. 일관성과 꾸준한 추진으로 국가 정책을 안정감 있게 추진해요.

코로나 정책에 관해서 자이로드롭 Gyrodrop과 롤러코스터가 부럽지 않은 낙폭과 속도로 우리를 멀미와 구토에 시달리게 했어요. 2020년에 시작된 해외 입국자 격리는 7일 자가격리에서 14일 시설 격리로 바꾸었다가 21일 시설격리+7일 자가 격리로 바뀌면서 입국자들을 우왕좌왕했어요. 입국 전 코로나 바이러스 검사의 방법과 횟수도 검색할 때마다 달랐어요.

비자정책도 기존에 발급된 비자도 다 취소해버렸다가 제한적으로 입맛에 맞는 사람들에게만 내줘서 **한국 전쟁 이후 최대의 이산 가족을 만들어냈어요.** 지금은 지난해보다는 비자가 잘 나오는 편이지만 여행 비자는 당분간 어렵겠죠.

중국 내 이동도 자기가 거주하는 지역마다 방역 정책과 해석도 무지개도 아닌 데 다채롭기 그지없네요. 무지개는 예쁘기나 하죠. 상하이 봉쇄로 입은 멍이 아직도 퍼런데 방역정책 완화와 변화라는 재생연고를 덕지덕지 발라주네요. **해외입국자 격리해제**라는 만병통치약은 아직 못 받았어요.

80억 전 세계 사람이 다 걸려야 끝날 거라는 코로나를 중국 사람들은 3년 동안 어떻게든 안 걸리겠다고 제로코로나 정책을 펼쳤어요. **3년동안 봉쇄, 격리, 이동과 영업 제한은 누구나 내야 하는 주민세 같았어요**. 이제 전 세계 인구 16%의 위드코로나가 시작되었어요. 과정은 공평하지 않을 거예요. 돈과 권력이 있는 사람들이 덜 걸릴 것이고 더 치료받을 거예요. 힘없고 약한 사람들이 더 걸릴 것이고 더 피해를 보겠죠. 우리나라 코로나 치사율이 세계에서 제일 낮은 것은 한국의 의료 수준도 높고 국민들의 의료 지식과 의식 수준이 높았기 때문이라고 생각해요.

준비 안된 중국에 위드코로나가 시작되었어요.

국가위생보건위원회 대변인 기자회견

준비됐나요? 시작할까요?

언제 물어보고 했나요. 그냥 시작하세요.

31. 남겨질 유산

2022년12월15일

인류 최대 토목공사였고 세계 7대 불가사의 중 하나라는 만리장성을 베이징에서 살 때 자주 갔어요. 빠다링八达岭, 쓰마타이司马台, 무텐위慕田峪, 진산링金山岭장성같이 복원해 부자연스런 느낌 가득한 비싼 입장료를 내는 관광지 말고요.
장성 생김새가 화살의 입과 닮았다고 하는 찌앤코우장청箭扣长城
댐을 만들면서 장성이 물에 잠겨서 수장성水长城으로 불리게 된 장성
이런 곳으로 가끔 트레킹을 갔어요.

찌앤코우 장성은 등산스틱이 필요 없는 구간이에요. 있어도 사용못해요. 두 손과 두 발을 사용해야만 갈 수 있거든요. 올라가고 내려오는 과정 모두 험난하고 위험해요. 떨리는 마음을 가라앉히고 차분하게 한 걸음씩 등반을 해야 하는 곳이랍니다. 관광객들로 시끌시끌 소란한 관광지 장성보다 멋진 풍경을 볼 수 있어요.

수장성은 봄에 매화가 필 때 가면 예뻐요. 꽃잎이 눈처럼 휘날리는 아름다운 풍경을 보면서 물에 잠긴 장성을 바라보면서 불어오는 봄바람과 함께 걷는 트레킹을 하면 기분도 살랑살랑해져요.

만리장성이 만리(약 4,000Km)가 아닌 것을 다 아시죠. 어떻게 측정하는지에 따라 2,700Km에서 6,000Km라고 하기도 해요. 누가 뭐래도 만리는 훨씬 넘는 2,000년이 넘는 동안 지어진 인류 최대의 군사 건축물이라는 이름도 있지만 당시 백성들의 피눈물로 건설되어서 세계에서 제일 큰 무덤이라는 부끄러운 이름도 있어요.

건설 목적은 군사 방어용이었지만 실제로는 흉노족 등의 외부 세력을 막아 내지도 못했어요.

저희는 장성 트레킹을 하면서
"중국 사람들은 좋겠다.
자금성하고 만리장성
2개의 문화유산만으로 얼마나 많은 관광 수입을 올릴 수 있을까 "
부러워해요.

찌앤코우장성　　　　수장성

외적 침입을 막겠다고 춘추전국시대부터 명나라 때까지 끊임없이 증축과 개보수를 하면서 백성들의 강제 노역으로 장성을 쌓은 지 600년쯤 지난 2020년 중국에서 시작된 코로나가 전 세계에 들불처럼 번질 때 중국은 **제로코로나장성**을 재빨리 쌓고 장성 밖에서 불이 나든 지 말든 지 그 안에 구축한 핵산검사 제국의 영화를 누렸어요. 사람들의 인권과 자유 억압 위에 **제로코로나장성**을 쌓았어요.

핵산검사 장비와 비용, 어마어마한 금액은 누구의 주머니로 들어갔을까요? 제로코로나 장성 안에 사람들을 가둬놓고 생겨난 막대한 수익을 누군가는 두둑하게 챙겼고 사회를 편하게 통치했어요. 행적마,장소마 등 큐알코드스캔을 통해 전 인민의 동선을 파악하고 통제했어요.

명나라 말기 숭정제 때, 청나라의 강희제가 난공불락의 요새라 불리던 친황다오秦皇岛 산하이관山海关 천하제일문天下第一关을 넘을 수 있었던 것은 명나라 수문장 오삼계가 성문을 열어줬기 때문이에요. 만리장성은 오랑캐의 침입으로 뚫린 게 아니라 내부에서 문을 열어주면서 무너졌어요. 제로코로나 장성 붕괴는 외부가 아니라 내부에서 시작되었어요.더 이상 버티다가 질병으로 죽든 굶어서 죽든 제로코로나 장성이 무너지는 것은 시간문제였어요.

지난주 준비 안된 위드코로나가 시작되었어요. 아이러니하게 시안 병마용 병사를 부활시켜서라도 철벽방어를 하겠다는 결연함으로 지켜왔던 베이징 **제로코로나 장성**이 제일 먼저 제일 빠른 속도로 무너지고 있어요. 누가 더 빨리 걸리는지 내기하는 것도 아닌데 도미노 쓰러지는 속도보다 빠르게 확진자가 늘고 있어요.

제가 중국에서 보낸 시간 중 9/10을 베이징에서 보내, 아는 사람들 중 열에 아홉은 베이징에 있는데 지인들 중 90%는 코로나에 감염되었어요. 자가진단키트마저 부족해 증세가 있어 집에 있어도 자가진단도 못 해보고 있어요. 그나마 사방팔방에서 간신히 구한 약마저 떨어지거나 그 약도 못 구한 지인도 있어 자기 체력으로만 버텨내야 하는 상황이에요. 다들 코로나 쓰나미 앞에서는 도움을 못 받고 혼자서들 앓고 있어요.

대한민국 대사관과 영사관 역할에 대한 논란도 있어요. 한국에서 약 좀 구해서 교민들에게 공급해주면 좋겠는데요. 상하이 봉쇄 때와 마찬가지로 교민들을 도움을 받고 있지 못해요. 한국에 있는 가족들만 애달아서 약, 키트 등을 보내려고 하지만 쉽지는 않아요. 세계 10대 경제대국이고 진단키트와 치료제를 생산하는 조국이 있는 데 교민들은 지금 각자도생해야 하는 위기 상황이에요.

코로나 중증 환자 치료제는 팍스로비드는 이미 돈과 권력을 가진 사람들이 싹쓸이했어요. 중증 환자들은 팍스로비드 치료제 구경도 못해 보겠네요.

중국은 산업계의 모든 코드가 다 있는 나라예요.
제약에 필요한 중간재를 생산해서 화이자를 비롯한 글로벌 제약사에 공급하는 나라이고요. 웬만한 약은 다 자체 생산할 수 있는 기반을 가진 나라예요. 그런 나라에서 약국에 약이 동나고 진통제, 해열제를 못 구하고 있어요. **상하이는 지금 폭풍 전야 같아요.**

각 회사마다 확진자가 조금씩 나오고 있어요. 제가 사는 아파트 라인 4층 사는 사람이 확진되었어요. 일주일 전만 해도 저희 아파트가 봉쇄되었고 저희들은 팡창放舱(임시 격리 수용 시설)로 끌려가야 했겠죠. 지금은 자가 격리가 가능해져 확진자는 자기 집에 있고 저는 정상적인 출퇴근이 가능해요.

상하이 봉쇄 내내 저희를 공포에 떨게 했던 수용 시설로 끌려가는 두려운 상황은 이제 사라졌어요.

베이징에서부터 밀려오는 코로나 쓰나미가 상하이를 덮치는 것은 시간문제예요. 소집 날짜 안 적혀있는 입대 영장을 받아들고 있는 기분이에요. 저는 12월 29일에 한국에서 들어오시는 분이 계셔 약을 부탁해 놨어요. 그때까지 잘 버텨야 해요. 양성 나오면 집에서 혼자 끙끙 앓을 생각이에요. 중국 병원에 가면 없던 병도 생기기 때문에 가능한 한 집에서 자가 치료해야 해요.

2,000여년에 걸쳐 통치권자의 힘으로 백성들의 고통과 신음으로 쌓은 **만리장성**은 후손들에게 연간 천만명이 넘는 **막대한 입장료 수입과 관광객 유치**라는 유산을 남겼는데요.

3년에 걸쳐 생명을 보호한다면서 **인권유린과 억압한 자유 위에 쌓은 제로코로나 장성**은 어떤 유산을 남길까요?

내년 이 맘 때 정산해 봐야겠어요.

만리장성의 시작,산해관　　만리장성의 끝, 가욕관

32.ABS가 필요해요

2022년 12월 21일

ABS Anti-lock Brake System

지금은 모든 자동차에 장착되어 있어 더 이상 새롭거나 중요하지 않은 기본 장치로 인식되고 있어요.

1992년, 우리나라에서 만도가 처음 개발, 출시했고 브레이크를 밟았을 때 바퀴가 잠기지 않아 핸들을 돌려 정면충돌을 피할 수 있게 만든 신기술이었어요. 이 기술로 교통사고 시 발생할 수 있는 인명 피해를 줄일 수 있게 되었어요. 차는 달리는 것보다 멈추는 게 더 중요해요. 제 때 속도를 줄이면서 안전하게 멈출 수 있는 기술이 고급 기술이라는 것은 저 같은 문송이도 알아요.

코로나 바이러스에 맞서 제로코로나 정책으로 3년 내내 엑셀레이터를 끝까지 밟으며 돌진하던 중국이 2주 전 급 브레이크를 밟았어요. 더 이상 핵산검사도 안하고 코로나에 걸려도 자가 치료 가능하다는 사실상 위드코로나가 시작되었어요.

위드코로나가 시작되자마자 **코로나 커밍아웃**이라는 신조어를 만들어 내며 코로나 확진자들이 늘었고 약국에 해열제, 진통제가 동났고 KN95 마스크(한국의 KF94 마스크 급) 가격은 폭등했고 자가진단키트는 돈이 있어도 못 사요.

롤러코스터는 출발하기 직전이 제일 무섭고 떨리죠. 막상 타고나면 `에이 시시해 `하는 사람도 있고 무서워서 죽을 뻔했다는 사람도 있듯이 코로나도 걸리기 전이 긴장되죠. 막상 걸리고 나면 가볍게 낫는 사람도 있고 심하게 앓는 사람도 있으니까요. 중국 사람들은 지금 롤러코스터 타기 전의 공포와 두려움을 느끼네요. 해열에 좋다는 황도 복숭아 통조림, 전해질 음료 대신 마시면 좋다고 한 레몬, 식초도 동이 났어요.

다른 도시에 있는 분들이 유령도시 같대요.

상하이, 베이징 할 것 없이 거리에 사람이 없어요. 식당들도 상점들도 개점휴업 상태예요. 코로나에 걸린 사람들은 아파서 못 나가고 안 걸린 사람들은 걸릴까 무서워서 못 나간대요.

우리나라에서 〈비온뒤〉 유튜브 채널에서 코로나 자가 치료에 대한 영상을 여러 개 올려줘 많은 사람들에게 도움이 되었던 것으로 아는데요. 중국에서 그 영상이 지금 돌고 있어요.

배달하는 사람들도 감염자가 늘면서 물류가 느려지고 있어요. 새벽부터 일어나서 부지런히 주문하지 않으면 배송 인력이 없다고 주문이 안 되어요. 교민들의 감염도 늘고 있지만 중국 사람들처럼 병원에 몰려 갈 엄두도 못 내고 집에서 자가 치료하고 있어요. 상하이 영사관에서 내일 한 사람에 한 통씩 해열제 나눠 준다고 하는데요. 감염된 사람들은 그나마도 받으러 갈 수도 없고 갔다 온다고 해도 몸 상태가 안 좋아질 것 같아요.

중국은 중간이 없는 나라예요.

태세 전환이 너무 빨라요. 제로코로나 정책에 온 나라 사람들을 태우고 과속할 때 사고 날까 무서웠는데 갑자기 브레이크 밟아 멀미할 것 같아요. 이제 코로나 양성이어도 경증이거나 무증상이면 출근도 가능하다고 하네요. **언제는 코로나의 코만 스쳐도 현관문에 못질하고 가두었는데요.**

저도 일요일에 확진되었어요.

금요일 저녁부터 목 아프고 골골하길래 어느 정도 예상했는데 일요일 아침에 자기진단키트로 검사하니 양성 나오네요. 지금 3일째 끙끙거리고 있어요. 남들 다 걸리는 것에 걸렸고 남들 아픈 것만큼 아프고 있어요. 다행히 여러 분들이 약을 주셔 열심히 약 먹고 물 마시고 몸 따뜻하게 하고 있지만 아프기는 하네요. 누가 와서 저희 집 현관문을 잠그지도 센서를 달지도 않았지만 알아서 안 나가고 있어요. 일단 아파서 못 나가겠고 제가 걸렸다는 것을 알면서 밖에 나갈 수는 없으니까요. 4일째 집콕하고 있어요. 상하이 아파트 봉쇄를 75일 동안 해서 그런지 자가치료할 동안 아무것도 아닌 듯 집콕 생활을 익숙하게 하고 있는 저를 보니 피식 웃음이 나와요. 더 이상 달리면 정면충돌을 피할 수 없으니 브레이크를 밟은 것은 좋았는데요. 최소한의 자가치료 가능약품와 진단키트, 의학 지식 교육, 중증 환자 치료시스템, 백신접종이라는 ABS가 없었어요. ABS를 중국에서 생산하지만 제품 수준이 낮아서 만도나 보쉬같은 글로벌 기업이 생산한 ABS 가져다 쓰면서요. **왜 백신은 글로벌 기업들이 생산한 것 안 가져다 쓸까요?**

33.〈재벌 집 막내아들〉이 된 중국이

2022년 12월 29일 목요일

올해 크리스마스, 저희 집에 산타 할아버지 대신 코로나가 왔어요. 7일 동안 집콕하는 동안 JTBC 드라마 〈재벌집 막내아들〉을 몰아 보기는 탁월한 효능의 진통제였어요. 1987년부터 전개되는 과거로의 회귀, 일어날 일은 일어나고 만다는 것을 알고 있는 진도준은 대한민국 경제 전환점마다 위기를 기회로 만들면서 자기를 죽인 범인 찾기와 순양가에 대한 복수를 차근차근 진행하면서 보는 사람에게 사이다를 안 마셔도 시원함을 느끼게 했어요.

15회까지 보면서 일부러 결말을 알 수 있는 글이나 영상을 보지 않았어요. 매회 반전에 반전을 거듭하는 구성과 사건 전개가 재미있었거든요. 여주 서민영 검사와 진도준의 어색한 케미는 애교로 봐주면서요. 옥에도 티가 있다고 하니까요.

12월 25일, 마지막16 회를 보려고 손꼽아 기다렸어요. 중국에서 한국 실시간 방송 보려면 따로 셋톱박스 설치해야 하고 이래저래 번거로워 매일TV라는 유료 사이트에서 보거든요. 밤 11시 한국시간으로는 12시 정도면 사이트에 업로드되어요.

평소에도 10시 좀 넘으면 자고 코로나 앓는 내내 일찍 잤는데 이날은 크리스마스 선물을 기다리는 아이처럼 안자고 기다렸어요. 마지막회가 올라오자마자 열심히 초집중해서 봤어요.

음..잠 안자고 기다린 제 노력과 시간을 돌려달라고 드라마 제작자에게 청구하고 싶네요. 16회짜리 흥미진진했던 드라마를 1회와 16회만 보면 되는 2부작으로 만들어 버리는 신기한 편집을 했어요.

순양가의 승계 싸움과 비자금 찾기의 희생양이 되어 머리에 총을 맞고 절벽으로 떨어진 윤현우가 1주일 만에 퇴원을 하는 기적을 보여주네요. 잘생긴 사람은 머리에 총알을 제거하는 수술을 해도 머리를 밀지 않나 봐요. 코로나도 1주일 이상 앓아야 하는데 머리에 총알을 맞고도 1주일만에 완전히 털고 일어나 멀쩡하게 한국으로 돌아온 윤현우가 결국 순양가에 대한 복수를 하지만 2회부터 15회를 안 봐도 이해가 되는 드라마가 되어버렸어요. 역대 최고의 드라마 반열에 오르네 마네 〈이상한 변호사, 우영우〉를 제치네 마네 했던 〈재벌집 막내아들〉은 어설픈 16회 하나로 그 동안 팬덤과 지지를 한방에 날렸어요.

2023년 1월 8일부터 중국이가 자기 집에 와도 된다고 하네요. 2020년 3월부터 제로코로나 철벽 담장을 쌓고 정밀방역이라는 고압 전류를 흐르게 하면서 절대 자기 집에 오면 안 된다고 하다가요. 2019년 11월, 코로나 바이러스 발생 이후 3년 내내 자기 집 담장 밖에 무슨 일이 벌어져도 모르겠고 우리 집만 지키면 된다고 했는데요.

이제 담장을 허물고 이웃들 보고 자기 집에 놀러 와도 된다고 하네요. 중국이네 식구들도 나들이해도 된대요. 집 안에만 있어서 좀이 쑤시다 못해 근질근질했던 중국이네 식구들이 내년부터 캐리어 끌고 우르르 이웃집으로 이 집 저 집 놀러 가려고 해요.

지금 중국이네는 3년 동안 눌려있던 코로나 바이러스가 순식간에 집안을 쑥대밭으로 만들고 있는데요.

저희지행 (중국에서는 은행 지점을 지행支行이라고 해요. 지점장이 아니라 지행장支行长이라고 해요.)에서 한 명 빼고 다 걸렸어요. 그 한 명도 언제 걸리지 몰라요. 지난주에 은행 문을 닫았어요. 문을 여는 데 필요한 직원이 부족해서 업무할 수 없었어요.

제 주변 사람들 중에서 안 걸린 사람은 한 두 명이에요. 베이징보다는 상하이바이러스가 덜 독한 것 같아요. 베이징에 있는 사람들이 아팠던 것보다 상하이에서 걸린 사람들이 덜 아픈듯 해요. 베이징, 상하이, 광조우 이 세 곳의 바이러스가 다르다고 하네요.

3년 동안 중국이가 제로코로나 한다면서 만든 정책과 제도는 〈재벌 집 막내 아들〉의 전개보다 드라마틱했어요. 항상 놀랍고 예상을 뛰어넘었죠. 행적코드 行程卡, 헬스코드 健康宝, 장소마 场所吗에 수시로 봉쇄와 격리를 저글링처럼 돌리면서요. **굿판의 절정은 무당이 작두 타는 것이고 제로코로나의 절정은 상하이 봉쇄였죠.**

반도체 회로 설계보다 꼼꼼하고 정밀하게 그렇게 코로나 방역한다고 하다가 갑자기 담장 허물고 집 밖으로 쏟아져 나오는 중국이네 식구들을 다른 집에서는 좋아하지 않아요. 자기네만 살겠다고 담장치고 살 때는 언제고 이제 같이 놀자고 하니 삐진 거죠.

다른 집에서는 중국이네 식구들을 오지 말라고 하기 시작했어요. 중국 발 코로나가 전 세계로 퍼져나가면서 각국에서 중국 발 입국자의 입국 금지, 격리를 시행하던 2020년 1월과 지금 2022년 12월의 상황이 같아요.

〈재벌 집 막내아들〉 마지막 16회에서 윤현우가 진도준으로 살았던 17년을 건너뛰는 전개로 2회부터 15회까지 왜 찍었는지에 대한 허망함을 느꼈어요. 2020년 3월과 지금의 상황이 이렇게 같은데 3년 동안 왜 제로코로나 했는지 허망해요. 그 시간 동안 위드코로나에 대한 대책과 인프라를 만들었어야 하는데요. 중국이는 그 시간을 다 날려버리고 2020년 3월 원래 모습으로 회귀했어요.

드라마 〈재벌 집 막내 아들〉은 이성민 님의 멋진 열연을 남겼는데요.
*중국이가 제로코로나로 보낸 3년은 *따바이 大白의 열연과*
지급해야 할 출연료를 남겼네요.

*(흰 방호복 입은 방역 요원들을 가리키는 말, 중국 문화혁명 당시 홍위병처럼 3년동안 코로나 방역현장에서 방호복을 입고 완장질했던 사람들을 비웃는 뜻도 있어요)

일부 지역에서 방역요원들의 임금 청구 시위가 있었고 위드코로나 시행으로 실직한 방역 관련 직업 종사자 수가 1,200만 명이 넘는다는 것은 안 비밀이에요

34.방역에 빠진 게 죄는 아니잖아!

2022년 1월 7일

"

사랑에 빠진 게 죄는 아니잖아!

"

2020년 3월부터 5월까지 JTBC에서 16부작으로 방영되었고 원작 영국 드라마 〈Doctor Forester〉를 리메이크했던 〈부부의 세계〉

당시 여러 인터넷 카페에 부부의 세계에 관한 글과 경험담이 여러 편 올라왔었고 저희들의 댓글과 공감도 뜨거웠죠. 여주 김희애 님은 여전히 왜 김희애인가를 보여주는 명연기를 했어요. 필라테스 강사와 불륜(당사자들에게는 사랑)을 했던 남편으로 나왔던 배우 박해준 님은 사랑에 빠진 게 죄는 아니잖아! 라는 명대사로 국민 밉상으로 등극하는 열연을 펼쳤어요.

내가 하면 사랑이죠. 다른 사람이 하는 것은 불륜이고요.

마오닝毛宁 중국 외교부 대변인이 1월 3일 정례 브리핑에서

``우리는 국제 사회와 소통을 강화하고 공동 노력으로 전염병과의 싸움에서 승리하길 바란다.

일부 국가들이 중국만을 겨냥해 입국 제한 조치를 취한 것은 과학적 근거가 부족한 것이고 일부 과도한 방법은 더욱 받아들일 수 없다.

우리는 전염병 방역 조치를 조작해 정치적 목적에 도달하려는 시도에 결연히 반대한다.

각 상황에 대해 동등성의 원칙에 입각해 상응하는 조치를 취할 것이다…

방역을 핑계로 정치적 농간을 부리거나 차별을 해서는 안되고 정상적인 인적 왕래 및 교류 협력에 영향을 미쳐서도 안된다``고 했대요.

중국 외무부 대변인 마오닝-발음 엄청 좋아요.

세상에 싸울 게 없어서 바이러스하고 싸우나요? 과학적 근거라니요? 우편물에도 바이러스 있다고 해외에서 온 우편물, 택배도 7일씩 격리시키고요. 해외 입국자들 캐리어는 김장배추가 부끄러울 만큼 소독약물에 절여주고 입고 있던 옷과 어린이에게도 소독약을 소방수처럼 뿌려대던 과학적 근거는 어디에 있을까요?

중국 국민들에게 차별을 하는 나라들에게 동등하게 대하겠대요. 우리나라는 중국에서 오는 사람들에게 핵산검사도 안 하고 입국 후 검사도 안 할 때 중국에서는 해외입국자들은 길게 21일 짧게 10일씩 청소도 안되어 있고, 안 해주면서 심지어 창문도 안 열리는 지저분한 시설에 가두고 매일 아침저녁으로 핵산검사하고 인간의 기본권인 먹을 것에 대한 배려도 없이 주는 대로 먹으라면서 돈은 돈대로 비싸게 받았어요.

우리나라가 그렇게 할 때 왜 우리에게도 동등하게 안 해줬나요.

지금 중국으로 오는 해외입국자들의 8일 격리는 사실상 무의미해졌어요. 자기 집이 있는 사람들은 보통 하루 정도 시설에 있다가 집에 갈 수 있어요. 21일씩 가둬놓고 쇼생크 부럽지 않은 철벽 수감을 시키던 베이징마저도요. 1월 8일부터 시행한다고 했던 격리 면제는 알아서 먼저 하는 분위기예요.

우리는 이렇게 관대하게 해외 입국자들을 대하는 데 감히 중국에서 간 사람들을 다른 나라에서 PCR 검사를 해..

중국이 뇌 구조는 매우 편리하게 되어 있네요. 기억하고 싶은 것만 기억할 수 있나봐요. 장장 34개월동안 해외 입국자들은 본인들이 어떻게 대하고 어떻게 검사했는지 해리성 기억 상실증에 걸렸나 봐요.

사랑에 빠진 게 죄는 아니죠.

본인들은 사랑에 빠져 달콤하고 좋겠지만 주변 사람들에게 상처 입히고 할퀴고 정신적, 경제적 피해를 주고 다치게 한 것에 대한 보상은 해야 하고 책임도 져야 하고 사과와 위로는 해야죠.

방역에 빠진 게 죄는 아니죠.

방역한다고 그동안 사람들을 가두고 검사하고 윽박지르고 정신적, 경제적 피해를 주고 유,무형의 폭력을 가한 것에 대한 보상은 해야 하고 책임도 져야 하고 사과와 위로는 해야죠.

나의 사랑은 아름답고 남의 사랑은 눈 뜨고 못 봐주겠나 봐요.

나의 방역은 정당하고 과학적이고 남이 하는 방역은 비 과학적이고 정치적인 농간인가요?

자꾸 으르렁 대면 전 세계 엑소엘 EXO-L(엑소 공식 팬클럽)들이 대동단결해서 댓글로 혼내줄 지도 몰라요.

35.누가 키웠을까요?

2023년 1월 14일

항저우 杭州

1+1=2라는 구구단처럼 항저우 하면 자동으로 서호, 영은사, 용정촌, 송성가무 이런 단어들이 떠오르죠. 항저우 용정차는 워낙 유명해서 차를 잘 모르는 사람들도 한 번쯤 이름 들어봤을 거예요.

예전부터 잘 먹고 잘 살았던 동네라 음식문화도 매우 발전해 한국 관광객들도 좋아하는 식당, 녹차绿茶와 와이포지아外婆家도 항저우에서 시작했어요. 유네스크 지정 문화유산과 맛난 음식으로 한상 넘치게 차려낼 수 있는 풍성한 식문화와 실크로드의 시작인 비단도 널려 있는 강남천국이라는 수식어가 어울리는 곳이에요.

유명한 관광지가 널리고 널린 이곳에 사람들이 가보고 싶어 하는 새로운 명소가 있어요.

알리페이支付宝와 타오바오淘宝가 여기서 태어났어요. 알리바바 본사가 항저우에 있어요. 알리바바 본사건물에 일반인들이 들어갈 수 없지만 그 앞에서 기념사진을 찍으면서 창업과 도전에 대한 열의를 다지는 사람들을 많이 볼 수 있어요. 마윈과 다섯 친구가 창업한 작고 허름한 아파트는 스타트업을 꿈 꾸는 젊은이들의 성지가 되었어요.

1999년, 항저우 작은 아파트에서 시작한 알리바바는 디지털 시대와 스마트폰 보급에 힘입어 중국 국민지갑과 장바구니가 되었어요. 중국에 사는 사람들이면 누구나 알리페이로 결제하고 타오바오에서 물건을 사고 허마에서 장을 봐요.

택배배달원들이 현찰을 받아 판매상에게 전달하는 방식의 비효율성과 현금분실 및 도난사고를 막기 위해 태어난 알리페이는 현재 중국 내에서만 13억 인구가 사용하는 결제수단이에요. 타오바오라는 전 세계 최대의 쇼핑 플랫폼을 이용하기 위해 반드시 알리페이가 있어야 하거든요. 알리페이와 타오바오라는 잘 키운 아이들은 빠른 속도로 성장하면서 여러 분야로 빠르게 뻗어나갔어요.

중국에서 명 짧은 사람은 대출 못 받아요. 예금담보 대출을 하려고 해도 짧아도 일주일 이상 걸리고 대출금 사용처가 정해져 있고 증빙을 내야 해요. **자동차, 인테리어, 가전제품 구입, 유학, 여행 등 소비성 대출만 가능하고 사후에 반드시 영수증을 은행에 제출해야 해요.**

예금담보대출도 이런데 신용대출이나 모기지론은 말해서 뭐해요. 대출신청부터 기표까지 아무리 빨라도 한 달 이상 걸려요. 마찬가지로 대출금 사용용도는 정해져 있어요. 한국처럼 대출받아 갭 투자를 한다거나 부동산, 주식, 코인 등의 다른 투자를 한다는 것은 중국에서는 있을 수도 없는 이야기예요.

50만 위안이 넘는 대출금은 대출받는 사람이 아니라 거래 당사자(물품 구입 대금이라면 물품 판매자, 인테리어 비용이면 인테리어 업자)에게 직접 입금해요. 우리나라 사람들이 보면 왜 내 대출금을 다른 사람에게 입금하냐고 펄쩍 뛰겠지만 여기서는 이게 법이에요.
억압적 금융이라고 하죠.

이렇게 명 짧은 사람은 대출 못 받은 나라에서 알리바바 앤트그룹의 으어바오余额宝는 매일매일 입에 달콤한 꿀을 떨궈주듯 날마다 이자를 주면서 사람들의 여유자금을 모았어요.

쯔마신용芝麻信用은 지에베이借呗앱에서 알리바바 빅데이터를 이용해 소비자 소비 패턴과 구매 행태를 분석해 신용대출을 1분에서 10분 정도면 대출해주었어요. **그 덕으로 명 짧은 사람도 대출을 받을 수 있었어요.** 금융의 혁신을 만들었어요.

화베이花呗는 신용카드처럼 타오바오에서 물건살 때 통장에 잔액에 없어도 신용으로 구입할 수 있게 했어요. 이런 단기 대출 채권을 모아서 ABS Asset Backed Securities를 발행해서 매각하고 그 돈으로 대출하는 다단계 구조로 신용 대출의 규모는 자기 자본금의 120배가 넘을 정도로 늘어났어요.

은행은 예대비율도 맞춰야 하고 특정개인이나 기업에 대한 여신한도가 있는데 비해 알리바바 쯔마신용과 화베이는 아무런 제재와 감사 없이 대출했어요. 그림자금융과 무면허운전을 한거죠.

거침없이 커 나가던 황금개미의 더듬이는 2020년 11월 홍콩에서의 IPO가 무산되면서 꺾이게 되어요.

중국 정부는 온라인 플랫폼의 반독점 규제와 그림자 금융에 대한 제재와 감독을 시작했어요. 코로나로 인한 중국 경제의 침체, 제로코로나 정책으로 인한 소비 감소까지 겹쳐 개미가 힘들어요.

2023년 1월 7일, 알리베이와 타오바오의 아버지, 마윈은 50%가 넘는 직간접 지분을 정리하면서 6% 정도의 지분만 남기게 되어요. 대주주의 의결권을 내려놓았는지 상실했는지는 모르죠.

진행 과정에 대한 추측과 궁금증은 연예인, 정치인의 스캔들만큼 뜨겁고 자극적이지만 우리는 알 수 없어요. 부부 사이 일은 당사자들만 안다고 하잖아요. 중국이하고 마윈 사이에 있었던 일은 둘은 알겠죠.

• 안 되는 것 말고 다해도 된다는 중국 정부의 너그러웠던 네거티브 Negative 시장 규제
• 1원만 팔아도 13억 원을 소비해 주는 거대한 내수시장
• 구글 안돼, 카톡 안돼, 다음 안돼, 유튜브 안돼, 넷플릭스 안돼
안돼 안돼 전략으로 디지털 철옹성을 쌓아 자국 인터넷 기업들의 성장터를 만든 **정부가 이 거대한 황금 개미를 키웠을까요?**

• 글로벌 서플라이 체인 속에서 제조업 기반으로 거침없는 성장한 중국 경제
• 유선전화에서 페이지(삐삐), PDA 건너뛰고 피처 폰 만지다가 스마트 폰 시대로 급전환한 중국 인터넷 환경
• 위폐에 대한 불신으로 현찰 거래보다는 전자 결제 선호
• 신용 거래보다 그 자리에서 바로 정산을 선호하는 중국 상거래 문화
• 9년 동안 항저우 호텔 로비를 서성거리면서 외국인 관광객들에게 다가가 무료 관광 안내를 해주면서 영어를 독학으로 공부하고 연습하고 38번의 투자 거절과 외면에도 인터넷 기업을 만들고 3년 간 적자를 버텨내고 새로운 경제 생태계를 탄생시켜 거대한 플랫폼 제국을 만든 **마윈의 의지가 이 개미를 키웠을까요?**

앤트그룹-개미

씨에청-돌고래

중국에서 우리가 이름 들어서 아는 회사들의 상징은 동물이에요. 씨트립은 돌고래, 쑤닝은 사자, 메이투안은 캥거루,징동은 강아지, 허마는 하마가 회사의 상징이에요. **앤트 그룹의 상징은 개미蚂蚁예요.**

36.아름다운 밤(예원등회)

2023년 1월 18일

〈시크릿 가든〉

현빈과 하지원의 달달한 카푸치노 키스가 떠오르는 드라마도 있지만 제게 〈시크릿 가든〉은 유네스코 지정 문화유산인 창경궁 후원 비원秘苑이에요. 한국에서 살 때 제일 좋아하던 곳이었어요.

비원은 가이드 투어로만 입장이 가능한데 외국어 가이드 투어 시간에도 그냥 표 사고 들어갔어요. 설명은 안 들어도 되고 입장만 할 수 있으면 되니까요. 서울이라는 거대한 도시 빌딩 숲 사이에 나지막이 고요한 비원 안을 걸으면서 몇 백 년 전의 시간과 대화를 나누는 것을 좋아했어요. 가을에 예쁘게 단풍 든 숲 사이를 걷는 호젓함을 사랑했어요.

이 품위 있고 아름다운 비원이 있는 창경궁을 일제 강점기에 창경원으로 전락시켜 동물원, 식물원과 놀이시설을 만들면서 궁을 훼손하고 격하했죠. 지금은 원남동이라는 지명은 창경원의 남쪽이라는 뜻에 유래했다죠. 1986년에 다시 창경궁으로 복원했고 1997년에 유네스크 세계 문화유산에 등재되어요.

일본이 이런 짓을 우리나라에만 했겠어요.

1937년부터 시작한 중일전쟁, 상하이에서 처음에 치외법권이었던 조계지를 피해 폭격 퍼붓다 기세 등등 해지면서 결국 조계지까지 폭격과 공격을 감행해요. 조계지에서 살던 미국, 영국, 프랑스 등의 서구 열

강들도 상하이를 떠나요. 상하이를 손에 넣게 된 일본은 1942년, 예원을 마구 훼손했어요. 예원은 청나라 때 영국군에, 중화민국 성립 후에는 일본군에 의해 훼손되었어요.

2차 세계 대전 종료 후 예원은 방치되어요. 전후 중화인민공화국 기틀을 다지기 바빴던 중국이 예원을 챙길 정신이 없었던 거죠. 1956년부터 1961년 사이에 예원을 수리해 개방하다 1982년에 중국 국가 문화재로 등록해요. 지금은 상하이에 오는 관광객들이 반드시 가야하는 필수코스이자 와이탄과 더불어 상하이 상징이 되었죠. 1843년 난징조약에서 시작한 상하이 개항 이후 급속도로 발전한 상하이의 거대한 빌딩 숲과 번잡한 도심 속에서 예원은 예전 아름다움은 간직한 채 강남 정원의 진수를 보여주는 정원이에요.

예원에서 1995년부터 춘절 때마다 등불을 걸어요. 중국이나 한국이나 같은 농경문화를 가지고 있어 음력설을 지내죠. 작은 설날小年이라 음력 12월 24일부터 1월 15일 정월대보름 元宵节까지 거의 한달 동안 설을 쇠요. 춘절 전후로 예원에서 등회灯会를 해요.

예원 안 개방은 날짜를 정해 하고 유료예요.(50위안) 예원 밖의 호심정, 구곡교, 예원상가 거리는 저녁 10시까지 열고 입장료도 없어요. 주말에 가면 사람 많아 떠다닌다고 주중에 퇴근하고 갔어요.

6시에 퇴근하고 지하철 타고 가면 7시 정도면 도착할 수 있어요. 듣던 대로 주중에 가도 사람은 많네요. 언제 코로나가 지나갔는지 예원에 구경하러 온 사람들에게서 흔적도 찾을 수 없네요. 다들 열심히 사진을 찍고 인터넷으로 동영상 중계하는 사람도 있어요.

구곡교는 아홉 번 꺾여있는 다리예요. 구곡교 주변의 등이 제일 예뻐요. 3초 〈아바타,물의 길〉 분위기 나요.

구경하러 온 사람들도 많았지만 질서 유지와 통제를 하는 사람들도 많네요. 10.29 이태원 참사가 생각나서 씁쓸했어요. 중국에서도 이렇게 질서 유지시키고 사람들 흐름 통제하는 데 왜 우리는 못했을까요?
요 며칠 추운 날씨로 하늘은 맑고 깨끗해 밤하늘도 선명해 등도 예쁘게 빛나요. 춘절 앞둔 상하이는 여기저기 홍등도 많이 달고 쇼핑몰마다 춘절 선물 쌓아 놓아 풍요로운 분위기예요.

이미 상하이는 집단면역을 달성했어요.

예원에서 집으로 돌아가려고 지하철 역으로 걸어가는 길…
상하이에는 화려하고 아름다운 밤도 있지만
시선을 1도만 돌려 옆을 보면 쓸쓸하고 허름한 밤도 있어요.

37.당신과 나, 너그러워야 할까요? 까칠해야 할까요?

2023년1월28일

전全 중국사람이 상주喪主예요. 집안에서 어른들이 돌아가시지 않았어도 지인이나 친척이나 한 다리 건너서라도 상을 안 당한 사람이 없어요. **전 인류가 걸려야 끝난다는 코로나는 자기가 틀리지 않았다는 것을 입증했어요**.

중국에 사는 모든 사람들이 코로나를 경험했어요. 중국은 집단 면역을 달성했어요. 지금 10억 명이 걸렸는지 11억 명이 걸렸는지 숫자는 의미가 없어요. 지금 상황을 보면 중국에 코로나가 있었는지는 여기저기 지저분하게 남아있는 장소마场所吗 스티커에서나 느낄 수 있어요.

중국은 결혼식장도 없지만 장례식장도 없어요. 결혼식은 보통 대형 식당이나 호텔 연회장에서 해요. 장례는 빈의관이라는 곳에 모셨다가 화장하는 게 일반적인데 위드코로나 이후로 돌아가시는 분들이 늘어서 화장장이 부족해요. 다른 나라들과 마찬가지로 위드코로나 시작했을 때 발생하는 일이죠.

제가 사는 아파트 라인에서 네 분이 돌아가셨어요. 돌아가신 것을 어떻게 알 수 있냐면 유품을 아파트 입구에서 태우는 것을 보면 알아요. 유품을 태운 자리에 하얀 스프레이로 원을 그려 놓아요. 유품 태우는 것을 보지 못해도 지나가면서 하얀 스프레이로 그린 원의 숫자를 보면 몇 분이 돌아가셨는지 알 수 있어요.

어느 나라든지 코로나에 취약한 계층은 고령층이에요. 어른들이 돌아가신 것에 대해서 슬프고 애도를 표해야 하는 게 당연한 데요. 아파트 현관 바로 앞에서 유품을 태워서 집에 들어가기도 힘들어요.

아파트 안이라는 집단 거주 단지 안에서 화재의 위험도 있고 다른 사람들의 입출입을 방해할 정도로 유품 태우기에 상주들의 슬픔과 중국 장례문화를 이해하기 어려워지려고 해요.

아파트 안에서 유품을 태우는 모습

춘절이에요.

1월 21일부터 27일까지 휴무예요. 휴무기간을 포함해 음력 1월 15일인 2월 5일까지 온 나라가 폭죽놀이를 해요. 폭죽을 터뜨리는 것은 중국의 전통 놀이이고 풍습이에요. 때와 장소를 가리지 않고 폭죽을 터뜨려요. 폭죽 값은 절대 싸지 않아요.

남들 눈에 보이는 정도로 쏘아 올리려면 개당 천 위안(18만 원 정도)

를 줘야 하고 `우와, 멋지다` 소리 들을 정도로 쏘려면 개당 5천 위안짜리 (90만 원) 사야 해요. 본인들은 멋지다고 느끼고 저 같은 외국인들은 눈살 찌푸릴 정도로 쏘려면 몇 만 위안(몇 백만 원)를 써야 해요. 그 돈으로 명절 즐거운 분위기 속에서 소외되고 어려운 사람들과 함께 하면 좋을 텐데요. **오로지 본인들의 복을 빌기 위해 몇 백만 원을 하늘에 쏘아대는 대륙의 기질을 제가 이해해야 하는데요.**

나라마다 문화와 관습이 다르죠. 외국에 살면서 그 나라의 문화를 존중해야 이해해야죠. 다른 것이 틀린 것은 아니니까요. 중국이하고 저 사이, 너그러운 마음으로 대해야 하는 지 요 며칠 사방팔방 쏘아대는 폭죽에 까칠해지네요.

존 스튜어트 밀 John Stuart Mill이 그랬어요.

“

설령 단 한 사람만을 제외한 모든 인류가 동일한 의견이고

그 한 사람만이 반대 의견을 갖는다고 해도

인류는 그 한 사람에게 침묵을 강요할 수는 없다고요.

”

38. 중국의 몽클레어, 보스덩 波司登

2023년2월5일

상하이는 북아열대기후예요.
제주도보다 남쪽에 있어요. 북위 31도이니 한국보다 7도 정도 남쪽에 있어요. 한겨울인 12월에도 낮기온은 영상이에요. 종려나무 같은 열대성 가로수도 많아 단풍 보기 힘들어요. 출퇴근할 때마다 초록색 가로수 아래를 걷는 기분이 좋아요.
이렇게 초록초록한 상하이에 보스덩 매장이 있네요.

`이게,뭐지…`

히말라야나 북극 갈 때 입는 패딩이 겨울에도 영하로 내려가는 일이 드문 상하이에서 팔릴까?

베이징같이 한겨울 혹독한 추위가 있는 곳도 아니고 일 년에 한두 번 내릴까 말까 하는 눈은 금세 사라져 명 짧은 사람은 눈구경도 못한다는 곳인데..

11월이 되면서 기온이 내려가자 저는 왜 상하이에 보스덩 매장이 있는지 알게 되었어요. 상하이는 집이 제일 추워요. 중국은 양자강 이남은 난방을 안 하거든요. 우리는 밖에 나갔다 집에 들어가면 옷을 벗잖아요. 상하이는 집에 들어가면 옷을 입어야 해요. 집안에서 신발 신고 생활하는 사람들도 많아요. 집 안이 추우니 맨발로 다닐 수 없어요. 우리는 찬바람 들어온다고 창문 닫는데 여기는 따뜻한 바깥바람 들어오라고 창문을 열어놓아요. 한겨울에도 바깥은 따뜻해 공원에 텐트 쳐놓은 사람들도 많고 여기저기 벤치에 앉아 해바라기 하는 사람들도 많아요.

퇴근하고 집에 들어가면 냉동창고에 들어간 듯한 서늘함이 싫어요. 시간이 지날수록 체온이 내려가 옷을 더 껴입어야 하고 가만히 있으면 더 추워 집안에서 개미처럼 바지런히 여기저기 돌아다녀야 해요.

이런 상하이에서 1시간 정도 떨어진 곳에 장쑤성 창수 江苏省 常熟라는 작은 도시가 있어요. 상하이로 원단을 납품하러 자전거로, 오토바이로 더우나 추우나 열심히 200km를 오고 가며 일하던 가오더캉高德康(1952년생)은 신문광고에서 산악인들이 입은 패딩을 보고 추위에 떠는 중국사람들에게도 입히고 싶다는 생각해요. 우리도 따뜻한 옷 입고 살 수 있지 않을까 하는 간절함으로요.

1976년, 자전거 한 대, 재봉틀 8대로 시작해요. 처음에 OEM으로 다른 브랜드 하청을 받아 패딩을 만들기 시작했어요. 1992년, 자체 브랜드 보스덩을 출시해요. 미국 보스턴을 중국어로 음역 하면 보스덩이에요. 숱한 어려움과 몇 번의 도산위기를 넘기면서 열정, 꾸준한 품질,디자인 향상으로 본 궤도에 올라요.

2007년, 홍콩증시에 상장했어요. 창립자 가오더캉은 포브스 선정 중국부자 300명 안에 들어요. 보스덩을 단숨에 국민패딩 아닌 인민패딩반열에 올려놓은 것은 마윈이에요. 알리바바라는 거대한 황금개미를 키워낸 마윈이 보스덩을 키우려고 한 것은 아니었지만 마윈이 보스덩을 입고 다니며 걸어다니는 광고판이 되었어요.

보스덩 와이파이 라인 제품을 즐겨 입는 마윈

마윈하고 가오더캉하고 아는 사이인지 몰라요. 마윈이 보스덩이 단지 품질이 좋아 입고 다녔는지 아니면 본인처럼 밑바닥에서 시작해 지금의 보스덩을 만든 가오더캉의 기업정신을 높이 평가했는지 우리는 알 수 없어요.

지금은 완상청 같은 대형쇼핑몰에 하이엔드제품을 전시하는 럭셔리한 보스덩이 되었어요. 창업자 가오더캉은 대도시인 상하이를 마다하고 고향인 창수에 보스덩 본사,공장을 세우고 일자리를 창출했어요. 창수는 보스덩시라고 불려요. 울산이 현대시라고 불리는 것처럼요. 고향사람들을 위해 무료로 주택을 지어주고 산이 없는 지역특성을 고려해 인공산을 2개나 만들어 산에 오르는 즐거움과 공기정화기능까지 선물했어요.

겐조, 장폴 고티에와 콜라보했고 지금 제품군 확대와 성장을 위해 프라다,나이키,데상트 출신 디자이너를 디렉터로 영입해 디자인 혁신과 품질을 높이려고 해요. 그중에 한국인 디자이너도 있다는 것은 안 비밀이에요.

우리나라보다 상속형부자보다 자수성가형 부자들이 더 많은 중국이 부러워요.

지금은 보스덩이 **중국의 몽클레어** 로 불리지만
언젠가는 몽클레어가 **중국의 보스덩** 으로 불리지도 몰라요.

39. 대륙의 반찬, 띠앤쯔자차이 电子榨菜

2023년 2월 10일

우리나라 밥상에 빠질 수 없는 반찬이 김치죠. 한국에서 안 먹다가도 해외 나오면 꼭 먹고 싶어지는 반찬이고요. 아무리 반찬 없어도 라면에 김치는 챙겨서 먹는 한국민의 필수 DNA죠.

중국에 자차이榨菜라는 절임 반찬이 있어요.

김치도 지역과 만드는 사람에 따라 다른 맛과 양념을 쓰듯 자차이도 맛도 양념도 달라요. 보통 기본 찬으로 주는 식당도 있고 돈 낸다고 해도 비교적 저렴한 반찬이에요. 웬만한 중국 음식에 다 곁들여 먹는 기본 반찬이에요. 늘 있는 반찬이라 중국 사람들로 별로 신경 안 쓰는 반찬이지만 없으면 허전해요. 특히 아침에 죽을 마시는 중국에서 흰 죽 먹을 때 꼭 있어야 하는 필수반찬이에요.

이 자차이처럼 전자기기가 식사할 때 필요한 반찬처럼 되었다는 뜻의 디앤쯔자차이 电子榨菜가 2022년 중국 10대 유행어예요. 굳이 한국어로 쓰면 디지털 짠지라고 할까요? 딱 들어맞는 표현이 있지 않아요.

식사할 때, 반찬처럼 휴대폰으로 동영상을 보거나 검색하면서 먹기 때문에 생긴 말이에요. 저희 직원들은 11시 반부터 1시 반까지 교대로 식사해요. 도시락을 싸는 직원이 반, 배달을 시키는 직원이 반 정도예요. 도시락을 싸왔거나 배달시켰거나 각자 앞에 점심을 놓고 휴대폰을 보면서 식사해요. 드라마 보거나 동영상 보면서 식당이라는 같은 공간에 있지만 각자 자기만의 세계에서 식사해요.

우리나라도 비슷하죠. 식사를 할 때 같이 먹는 사람이 있어도 각자 휴대폰을 보면서 식사를 해요.

홍췐루에 아이친하이爱琴海라는 쇼핑몰이 있어요.
하마스시라고 일본 음식을 잘 아는 분이 가성비 좋다 추천해줘 점심 먹으러 갔어요. 비대면 식사가 가능하네요. 빈자리에 앉아 아이패드로 주문하면 만들어진 스시가 레일을 타고 제 앞에 와요.
`뭐 달라, 어떻게 해 달라` 말할 필요도 없고 주문이 제대로 되었는지 틀렸는지 신경 쓸 필요도 없어요. 혼자 빈 자리에 앉아 주문해 먹고 계산하고 오면 되네요. 식사하는 동안 제 앞에 놓여 있는 단말기.. 원하지 않아도 전자기기를 반찬처럼 앞에 놓고 식사하게 되네요.
이제는 외식을 해도, 집에서 먹어도, 회사에서 먹어도 제 밥 반찬은 전자기기네요.

우리가 남 걱정할 것은 아니지만 중국도 인구가 줄고 있고 출산율이 감소하고 있어요. 결혼하는 인구도 줄고 있어요. **육아, 교육비, 주택 문제는 한국이나 중국이나 공평하게 짊어지고 있는 짐이고 풀어야 하는 숙제랍니다.**
여자친구를 사귀게 되면 금전적, 시간적으로도 공유해야 하니 여자 친구도 안 사귀고 그 돈과 시간으로 혼자 즐기는 중국 남자들도 늘어나고 있어요. 중국여자들도 경제적, 사회적 지위와 능력 향상으로 자기 힘으로 자기에게 투자하고 삶을 즐기는 사람들도 많아요.
이런 자식들이 답답하고 애달파 공원에서 자녀의 학력, 능력, 재산 상황, 본인의 이상향을 적은 팻말을 들고 여기저기 자식의 짝을 찾아다니는 부모의 마음은 한국이나 중국이나 비슷하겠죠.
결혼은 부모님들에게나 필요한 것이고 우리세대는 필요없다고 생각하는 80,90호우后들이에요. 알리바바, 텐센트 등 소위 좋은 대기업을 다니고 페라리 몰고 샤넬 백 들고 장보러 가는 사람이나 지하철과 자전거로 출퇴근하고 한끼 20위안 안 넘는 검소한 도시락으로 식사하는 사람들이나 모두 디지털 짠지를 앞에 놓고 식사를 하고 있어요.

이제 대륙의 반찬이 되어버린 디지털 짠지,
그 맛은 짤까요? 쓸까요?
맛날지도 몰라요.
사람마다 다르겠죠.

释义：指在吃饭时看的视频、文章等,这些内容如同榨菜一样有极强的下饭作用,因此被戏称为"电子榨菜"。

Meaning: Videos you watch while eating that make the food feel more appetizing

40.서울의 밤, 상하이의 밤

2023년 3월 4일

베이징이나 상하이나 공항에서 가까운 곳에 한인촌이 생겨났어요. 아무래도 한국을 오고 가기 편해야 하니까요. 베이징 왕징望京 한인촌은 수도공항에서 20Km 정도, 상하이 홍췐루虹泉路 한인촌은 홍차오 공항에서 10Km 정도 떨어져 있어요. 집 월세가 저렴했던 곳에 모여 살기 시작하면서 한인촌이 생겨나요.

베이징 차오양구 왕징은 쓰취四区라고 불리는 왕징신청望京新城이라는 아파트가 먼저 지어졌고 싼취三区, 화딩华鼎 이런 아파트들이 지어지면서 한인촌이 형성되었어요.

상하이 민항구 홍췐루는 금수강남锦绣江南이라는 대규모 아파트 단지가 지어지면서 교민들 거주지가 되었어요.

베이징 왕징은 이제 한인촌이라는 말이 어색해요. 한국 사람들이 직접 운영하는 매장이나 식당은 거의 없어요. 여전히 교민들이 모두 왕징에서 모여서 살지만 점점 규모가 줄어요. 주거지역만 놓고 보면 베이징 교민들은 90%정도 왕징에 모여 살아요. 한인 식당과 슈퍼들이 띄엄띄엄 여기저기 있고요.

상하이는 교민들 주거지역이 홍췐루, 구베이, 푸동, 시내지역, 칭푸, 송지앙, 여러 군데 흩어져 있지만 대부분 홍췐루에 살아요. 상가와 식당도 거의 홍췐루에 모여있고요.
코로나 이후 봉쇄를 간헐적으로 반복하면서 타격을 받은 자영업자분들이 많아요. 지난해 상하이 봉쇄 때 홍췐루에 걸어 다니는 사람조차 없었어요. 지금은 웬만한 식당은 점심시간과 저녁시간에는 줄을 서야 해요. 학생들 하교 시간과 직장인들 퇴근 시간이면 항상 홍췐루는 길이 막혀요. 차를 타는 것보다 걷는 게 빠르고 주말에는 교통경찰까지 배치되어서 정리할 정도로 차와 사람들로 붐빈답니다.

중국 사람들은 편리한 매트릭스 기억 구조를 가지고 있는지 지난 3년 동안 있었던 제로코로나와 봉쇄에 대한 기억을 다 삭제해버렸나 봐요. 제임스 카메룬 감독이 울고 가겠어요. 영화 〈아바타〉의 기억삽입과 복제는 저리 가라네요.

홍췐루의 밤은 화려하답니다. 한국음식과 물건을 파는 곳이지만 주로 교포분들과 중국인들이 해요. 되돌아온 홍췐루의 붐빔과 북적임을 한류의 부활이라고 보는 사람도 있어요. 우리가 태국음식을 먹고 타이마사지를 받고, 일본 오마카세를 먹고 동전파스를 산다고 해 태국 문화, 일본 문화에 관심과 애정을 가진다고 할 수는 없잖아요.

중국인들이 홍췐루에 와서 한국음식을 먹고 한국마트에서 우리나라 과자와 식품 산다 해 한류라고 과대평가할 것도 흥분할 것도 아니에요. 상하이에 와서 예원, 와이탄 가듯 홍췐루도 한번 들려서 음식 먹고 한국상품 중에서 좋고 맛난 것 있으면 사는 거예요.

2월 말에 상하이에 있는 한국 문화원에서 상하이 한국 영화제가 열렸어요. 우리나라 영화, 드라마, 예능에 관심을 가지고 즐겨 보는 중국 사람들은 있어요. 중국사람들은 한국사람들이 생각하듯 그렇게 혐한이고 한류고 할 것 없어요. 중화민족이라는 대중화 사상으로 한국은 수많은 변방의 하나일 뿐이에요. 13억 넘는 사람들이 똑같이 생각할 수는 없으니까 그 중에서 한국을 싫어하는 사람도 있을 것이고 좋아하는 사람들도 있겠지만 **대부분 중국사람들은 그렇게 우리에게 관심 있지 않아요.**

홍췐루에 중국사람들이 와서 음식 먹고 물건 사는 것을 `한류`라고 볼 것도 아니고 안 온다고 해서 `혐한`이라고 할 것도 없어요. 우리 물건이 좋고 우리 음식이 맛나면 사지 말래도 먹지 말래도 알아서 사고 먹어요. 한류니 뭐니 하면서 그렇게 애달파할 것도 없어요. 상대방은 관심 없는 데 구애하면 더 없어보이잖아요. 한류, 혐한 이야기할 시간에 연구와 노력을 하는 게 나아요.

돈에는 눈이 있고 피보다 돈이 진하다죠.
동방의 파리, 다른 나라에서 석유등과 촛불 켜고 있을 때 이미 전깃불을 켜고 엘스컬레이터가 설치된 백화점에 모던걸이 하이힐 신고, 모던보이들이 시가 물고 모자 쓰고 쇼핑을 즐기던 화려한 상하이의 밤,

서울야시장이라는 간판 아래 전등이 은하수처럼 빛나는 물결을 이루고 인파로 출렁이는 홍췐루 한인촌의 밤이 쓸쓸하지 않아 좋네요.

首尔夜市 서울야시장

피로스의 승리

41.상하이 봉쇄 그후 1년

2023년 3월 18일

버려진 핵산검사 부스, 빛바랜 코로나 주의 사항 안내 스티커만이 지난 3년 동안 중국에서 무슨 일이 있었는지 느끼게 해 줘요. 중국 대부분 도시에서 코로나라는 단어도 들을 수 없어요.

13억 명의 기억에서 3년 동안 제로코로나 정책으로 있었던 일과 고통은 몽땅 싸서 스페이스 X의 위성에 실어서 달나라로 보내버렸나 봐요. 모두가 아무 일도 없었던 것처럼 살아요.

언제는 코로나에 걸리면 죽을지 알아라 하면서 절대 걸리면 안되는 불치병처럼 모두를 제로코로나 정책의 감옥에 가둬 놓더니

언제는 빨리 코로나에 걸려라, 너는 왜 아직도 안 걸렸니 닦달하면서 모두 위드코로나의 절벽 위로 밀어붙였어요.

전 인민이 누구나 직,간접으로 상주가 되었고 13억 명의 인구 중 10억 명은 감염이 되면서 중국은 불과 두 달 만에 코로나 집단 면역을 속성달성했어요. 드라마 〈재벌집 막내아들〉 엔딩보다 허망하게 끝났어요.

중국 리오프닝에 전 세계 항공, 호텔 주가가 들썩였고 러, 우 전쟁으로 줄줄이 엉긴 글로벌 공급망 경색과 세계경제침체 상황에 하늘에서 구원의 동아줄이 내려온 듯 좋아했어요.

봄이 온다는 춘절이 지났고 한국보다 남쪽에 있는 상하이에 여기저기 봄 느낌이 느껴져요. 이제 롱패딩이 살짝 무거워지려고 해요.

〈상하이 저널〉이라는 교민 신문이 있어요. 상하이에서 벚꽃 피는 곳에 대한 기사였어요. 전 순간 지난해에 왜 벚꽃을 못 봤지 했어요. 제게 2022년의 봄은 없었네요. 아파트 안에 갇혀 있느라고 벚꽃이 피었는지 졌는지 꽃잎도 못 보았네요.

지난해, 3월 초 여기저기 산발적으로 시작한 상하이 봉쇄는 전 지역 2 달 봉쇄라는 기록을 세웠고 저는 75일간 아파트 안에서 흰 벽을 바라보면서 혹시나 코로나에 걸려서 격리 수용 시설로 끌려가지 않을까 두려움에 떨었어요.

지난 해 6월, 저는 봉쇄 기간 있었던 75일 간을 기록한 일기를 다음 브런치에서 전자책으로 냈어요. 어느 분이 은행에 오셔 종이책으로 내달라고 하셨어요. 본인은 전자책을 못 읽는다고요. 그동안 상하이에서 있었던 우리들이 겪은 이야기를 읽고 싶다고요. 그분의 말에 저는 종이책을 만들기로 했어요.

누가 제 책을 돈을 주고 사겠어요. 다음 브런치와 연결된 부크크 출판사에서 주문 출판 POD Printing on Demad 방식으로 내면 비용 없이 출판이 가능하더라고요. 돈을 안내도 되지만 모든 것은 제가 다해야 했어요. 책은 촌스럽고 투박해요.

편집 맡기려면 한 페이지 당 2,000원이에요. 책을 기념품처럼 가지고 싶어 하는 분도 있지만 일개미에게는 그렇게 하기 버거운 기념품이에요. 저는 퍼스널 브랜딩이 필요한 사람도 아니고 인지도가 필요한 정치인도 아닌데 많은 비용 들여 화려하게 예쁘게 만들 수도 없고요. 일개미답게 뚝딱뚝딱 만들었어요.

표지는 편집프로그램이 필요해 디자이너 분에게 비용을 드렸고 나머지 모든 것은 다 제 손가락과 손목으로 했어요.

중간에 파일 날리고 다른 분이 봐준다고 했다 포맷 다 틀어져 다시 일일이 맞추고.. 중간에 왜 하고 있지 하는 생각도 들었어요. `하지 말까? ` 누구하고 선인세 받고 계약서 쓴 것도 아닌데 이러면서 소심해지고 있었어요.

영원히 끝날 것 같지 않았던 제로코로나 지옥이 갑자기 위드코로나로 급전환되면서 코로나 소탕작전이 게릴라전처럼 진행되었어요. 저도 코로나에 걸렸어요.

2023년 3월, 이제 중국에서 코로나 이야기하는 사람도 없어요. 코로나라는 단어는 금기어처럼 되었고 그 동안 일었던 일은 암묵적 동의로 모두의 기억 속에서 봉인되고 있어요. 아무 일도 없었던 것처럼 시치미 뚝 떼고 있어요. 이러다가 나중에 우리는 제로코로나 정책을 한 적도, 상하이 봉쇄를 한 적도 없다고 하겠네요.

저는 다시 힘을 냈어요. 날짜 콕콕 박아 기록으로 남기기로요. 아무도 안 읽어주고 한 권도 안 팔려도 괜찮아요. 〈난중일기〉가 있다는 것을 알지만 읽지는 않잖아요

종이책 〈안나의 일기〉는 중국에서 살면서 베이징, 상하이 양대 도시에서 모두 락다운을 경험했고 코로나정책으로 있었던 모든 전 과정을 미쉐린 레스토랑의 파인다이닝코스처럼 풀코스로 경험하고 상하이 봉쇄는 메인 디쉬로, 해외 입국자 격리는 디저트로 받은 제가 하는 소심한 복수예요.

당신은 기억 못 할지, 안 할지 모르지만 우리는 기억할 거예요.

2023년 4월 22일 상하이 희망도서관에서 열린 북토크

41.밤마다 MRI

2023년 3월28일

지난해 뜨거운 화제였던 드라마 <지옥>

지옥에서 온 세 악마는 어설픈 CG로 무서워야 하는 데 귀여운 세 마리 악마라는 평을 얻었죠. 너는 며칠 몇 시에 지옥에 갈 거라고 속삭이는 듯 고지하는 악마가 무서워야 하는데 CG처리가 어설퍼 귀엽다는 평을 받았어요. 그런 `귀여운 악마` 아니고 진짜 `지옥에서 온 괴물`이 저희 집 창 밖에서 으르렁거려요.

아파트 앞 공사현장, 24시간 쉬지도 않고 뚝딱거려요.

제가 지금 사는 아파트를 선택한 이유는 단 하나 `신축`이라는 이유였어요. 아파트를 둘러 싼 공터와 공사판을 눈에 콩깍지가 씌인 것도 아닌 데 못 봤어요. 신축 아파트를 선택한 댓가는 상하이 봉쇄만큼 혹독해요.

지난해, 반복되는 봉쇄로 멈췄던 공사가 올해 들어 본격 진행 중이에요. 무슨 쇼핑몰이나 건물을 짓는 것도 아니고 사회인프라 공사예요. 터널과 지하차도를 만드는 공사인데 놀랍게도 만기가 2025년 12월 31일이에요. 이 공사 끝나기 전에 제가 먼저 떠나요.

전 떠나는 날까지 지옥에서 온 괴물이 으르렁거리는 듯한 공사판 소음과 먼지 속에서 살아야 해요. 이사도 생각해 봤어요.

중국 임대제도는 보통 입주할 때 3개월 치 월세와 한 달 치 월세를 보증금으로 내요. 만기 전에 나가면 본인이 한 달 치 보증금을 못 받아요. 제가 사는 집 만기가 2023년이니까 중간에 나가면 저는 한 달 치 월세에 해당하는 보증금을 돌려받지 못해요. 부동산 중개비가 집세의 50%예요. 주재원들이 많이 사는 구베이 지역은 집주인이 중개비를 내요. 그런 경우는 중개비를 월세에 포함시켜요. 얼핏 보면 중개비를 안 낸 것 같지만 결국 월세에 중개비가 녹아 있어요. 부동산 중개업체는 거래 성사 전에 열심히 연락하지만 임대계약서 쓰고 중개비 받으면 그 이후는 **헤어진 애인보다 더 매정해요.**

이사비용도 만만치 않아요. 한국 수준 포장 이사를 하려면 국제포장 이사업체를 불러야 해요. 비용도 당연히 국제포장이사 수준이에요. 로컬 이사 업체를 이용하면 지금은 좀 나아졌지만 여전히 물건파손, 훼손, 분실, 오염은 기본이고 포장과 정리까지 모두 제 몫이에요.

베이징에서 상하이로 이사 올 때 5톤 트럭 한 대 가격만 9,000위안 냈어요. 나머지 포장과 짐을 푸는 비용은 별도였고요. 상하이 시내에서 이사를 하면 4~5,000 위안 정도 나온다고 하네요. 보증금, 중개비, 이사 비용이라는 3개 허들은 감수한다고 해도 선택지가 없어요.

근처에 구축 아파트 아닌 곳이 없어요. 대부분 엘리베이터가 없는 5층 단층 아파트가 많아요. 새 아파트라도 해도 10년 이상 된 아파트들이라 마땅히 갈 곳이 없어요.

결국 전 상하이 떠나는 날까지 여기 살아야 하는 이유로 밤마다 MRI 찍는 기분으로 살아요. 낮에는 공사를 하든 맘대로 하고 밤에는 안 했으면 좋겠는데요. 사회 인프라 공사라는 대의명분 아래 24시간 열심히 공사해요.

같은 아파트에 사는 집주인에게 이야기했더니 민원 넣었다고 저 보고도 넣으래요. `아니,저 외국인인데요.` 저 보고 상하이시 정부에 민원 넣으래요. 제발 밤 10시부터 6시까지만이라도 공사 안 했으면 좋겠어요. 자려고 누워있으면 창 밖에서 **들리는 공사장 소음은 지옥에서 온 괴물이 고지하는 소리 같고 그 파장은 MRI 촬영기 안에 들어가서 누워있는 기분이에요.**

중국 MRI 촬영 단가가 세계에서 제일 낮은 편이에요. 중국에서 MRI 촬영기를 생산도 하고 운영, 유지 비용이 다른 나라보다 적게 들어서라고 하네요.

3군데 MRI 촬영했는 데 모두 한국 돈으로 1,600위안(약 30만 원 정도) 들었어요. 중국 의료보험으로 비용을 낼 수 있고 환자에게 방사능 노출이 없어 환자도 의사도 MRI 촬영을 선호해요. 중국의사들이 MRI 연구로 쓴 의학 논문도 다른 나라보다 많대요.

의료보험 적립금으로 MRI 촬영 비용을 낼 수 있지만 결국이 본인 부담금에서 사용하는 거라 자기 돈으로 찍는 셈이긴 해요. 한국이라면 백만 원도 더 나왔을 MRI 촬영을 여기서 할 수 있어요. 한국에서는 한 부위를 촬영해도 몇 십만원 이상은 나오잖아요.

아무리 MRI 촬영 단가가 낮다고 해도 밤마다 MRI 촬영통 안에 들어가서 자는 느낌은 사양하고 싶은데요.

오늘 밤도 전 MRI 찍는 기분으로 자야 해요.

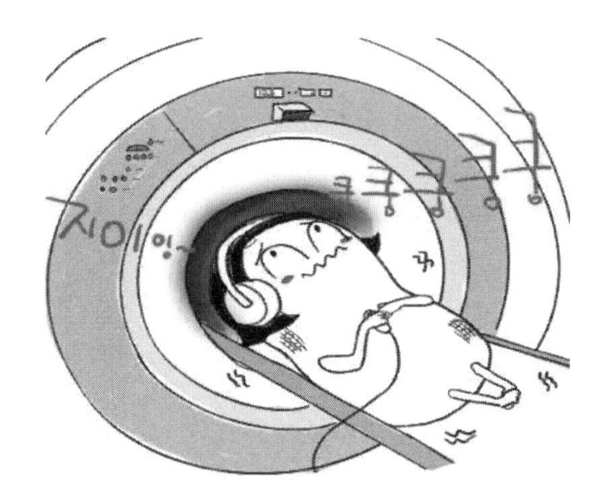

42.제 떡 먹기

2022년 4월 13일

`제 떡 먹기`

횡재를 한 줄 알고 신나서 먹었는데 결국 자기가 먹을 떡을 먹은 것에 지나지 않았다는 뜻으로 이득을 본 줄 알았는데 결과는 자기 것을 축낸 것에 불과함을 비유적으로 이르는 말
비슷한 속담으로 소경이 제 닭 잡아먹기가 있다.

중국도 직장인들은 한국과 비슷하게 사회보험이 있어요. 한국은 직장인이 아니어도 국민연금, 건강보험을 가입할 수 있지만 중국에서는 직장인이 아니면 사회보험에 가입할 수 없어요. 기업의 사회보험 부담율이 34% 정도 되거든요. 그나마 이것도 내려간 거예요. 그전에는 40%였어요.

직원 한 명 고용해 급여100만 원을 주려면 사회보험 부담금을 합치면 140만 원이 들어요. 외국인들은 사회보험 가입 대상이 아니었는데 2012년부터 의무 가입이 되었어요. 지역마다 달라서 아직 의무가입이 아닌 곳도 있는데 베이징은 의무가입이고 상하이는 2021년 8월부터 의무가입이에요. 외국인들의 사회보험 의무가입으로 기업들의 비용 부담은 늘었고 외국인들도 중국에서 혜택도 못 보는 사회보험료를 꼬박꼬박 내야해요. 나비효과로 베이징에 있는 국제학교 학비상승을 불러왔어요. 국제학교에서 일하는 외국인 교사들의 사회 보험과 개인 부담금까지 학교에서 부담하고 이 금액은 고스란히 국제학교 학비에 전가되었어요. 더불어 건물과 토지 임대료 상승도 국제학교 학비인상을 부추겼어요.

저도 갑자기 안 내던 사회보험료를 내게 되었어요. 그나마 우리나라 국민연금에 해당하는 중국양로보험은 한국에서 국민연금 가입으로 면제받았어요. 양로보험부담액이 제일 커요. 기업에서 16%, 개인이 8%를 부담해야 하니까요. 나중에 개인은 중국을 떠나거나 다른 도시로 이직할 때 자기가 낸 부담금은 돌려받을 수 있지만 기업이 부담한 16%는 하늘로 폴폴 날아가요.

	회 사	개 인
양로보험	16%	8%
의료보험	10%	2%
실업보험	0.5%	0.5%
공상보험	0.256%	업종마다 다름

실업보험은 회사 0.5%, 개인 0.5%이고 공상 보험(한국의 산재 보험)은 회사부담 0.256%, 개인 부담금은 업종에 따라 다른데 얼마 안 되어요. 의료보험은 회사에서 10%. 개인이 2%를 내요. 회사에서 내는 사험 보험료는 모두 통합기금에 들어가요.

베이징에서는 개인이 낸 의료보험 적립금 2%를 베이징은행北京银行 계좌로 돌려주기 때문에 사실상 안 내는 셈이에요. 베이징은행 계좌에 쌓였던 적립금을 곶감 빼먹듯 솔솔 빼먹는 것도 괜찮아요.

2021년 10월, 저는 베이징에서 상하이로 근무지를 옮겼고 사회보험을 상하이에서 가입하게 되어요. 베이징에서는 제게 돌려줬던 의료보험 부담금 2%를 상하이에서는 의료보험카드에 적립해 주고 병원이나 약국에서만 쓸 수 있네요. **앗, 제 곶감은 호랑이도 물어간 것도 아닌데 없어졌어요.**

중국 의료 환경이 안 좋다는 것은 모두가 다 아는 사실이에요. 그래서 제로코로나 해야 한다고 자기네 입으로 그렇게 떠들었잖아요. 어떻게든 병원 안 가고 버티자는 굳건한 의지력을 발휘해야 하는데 제가 내는 2% 의료보험 부담금이 아깝네요. 제 떡 제가 먹기로 했어요.

의료보험 카드를 쓸 수 있는 병원이 정해져 있어요. 한국처럼 모든 병원에서 다 쓸 수 없어요. 한국 의료 인프라가 얼마나 좋은 지 해외를 나와보면 느낄 수 있어요. 우리나라 좋은 나라예요. 의료보험카드 사용이 가능한 병원은 아무래도 사람이 많아요. 중국에서 병원에 가면 세상에 **아픈 사람이 이렇게 많구나**에 놀라고 **의료 환경**에 놀라고 **의료진**에 놀래요. 제가 있는 홍췐루 한인타운에서 가깝고 의료보험카드를 쓸 수 있고 야간 진료도 가능한 라이인병원莱茵医院을 다니기로 했어요. 다른 중국 병원보다는 환경이 좀 낫기는 한데요. 그래도 여기저기 아날로그 감성 가득이에요. 특히 수액 맞을 때, 앉아서 맞아야 하는 상황은 한국 사람들에게는 놀랍기 그지없죠.

레트로 감상 폴폴 묻어나는 마그네틱 카드와 본인의 의료 기록을 적을 수 있는 수첩을 가지고요. 여기서는 본인이 의료 기록 차트를 가지고 다녀요. 어느 병원을 가도 그 수첩에 진료 기록을 적어요. 음,본인 기록은 본인이 관리할 수 있다는 면에서는 좋겠지만 그래도 이렇게 써주면 어떻게 읽어요.

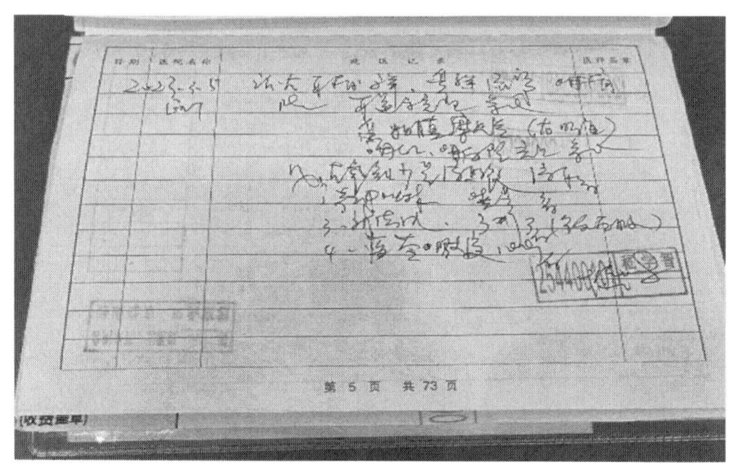

병원 갈 때마다 가지고 가야 하는 의료 수첩

제가 낸 돈으로 치료받는 데 제가 지불하는 비용이 없거나 얼마 안 되니까 공짜로 치료 받는 기분이 들어요. 본인이 낸 돈으로 사용하는 데도요.

참, 자기가 낸 적립금 다 사용하면 그 후 발생하는 의료비의 20%만 부담하면 된대요. 저, 적립금 아직 많이 남아 있어서 왠지 통장에 잔고 많은 부자 기분이 들어요.

그림 속의 떡은 못 먹는 데 의료보험 적립금이라는 떡은
자기 떡이라도 먹을 수 있으니 다행이에요.

43.하루를 위한 엿새

2023년4월29일

아침에 출근할 때마다 아파트 정문을 나올 때마다 뒤를 돌아봐요. 이렇게 매일 나올 수 있었던 저 문을 지난해에는 봉쇄로 나올 수 없었거든요. 문을 나와서 걸으면서 하늘을 봐요. 자유로운 하늘을..

지난 해 봉쇄되어 있던 아파트 정문

지금 상하이는 차와 사람들로 붐벼요. 출퇴근 시간에는 걷는 것 더 빠를 정도예요. 언제 봉쇄 있었는지 흔적도 없어요. 공연이 끝나고 무대장치와 객석이 모두 치워진 것처럼 깔끔해요.

2023년 4월 29일부터 중국 입국 전 48시간 핵산검사 의무가 없어져요. 이제 코로나가 끝났어요. 해외입국자에 대한 48시간 핵산검사가 없어지는 것을 코로나의 끝이라고 생각하고 손꼽아 기다렸어요.

2020년 2월 한국 발 입국자에 대한 14일 자가격리 권유부터 시작해서 3월부터 해외 입국자에 대한 시설 강제 격리 14일 실시로 시작했던 중국의 제로코로나 정책은 3년이 넘는 긴 시간의 막을 내리네요.

3년이 넘는 시간 동안 우리가 중국에서 제로코로나 정책 시행으로 겪어야 했던 과정은 학대였어요. 사람만 힘들었겠어요. 해외에서 온 택배에 코로나 바이러스가 묻어온다고 택배들과 화물들을 7일씩 소독약 뿌려가면서 시설 격리시키고 물고기에서 코로나 바이러스 있다고 물고기들도 핵산검사했어요.

"물고기야, 그동안 핵산검사받느라고 힘들었지
택배야, 그동안 7일씩 시설격리하느라고 고생했어."

5월 1일은 노동절이에요. 지난 해에 제 청명절 연휴와 노동절 연휴는 아파트 안에서 창 밖을 하염없이 바라보는 것으로 보냈어요. 노동절에 하루를 쉬어요. 법정 공휴일이에요. 중국이는 이 하루 휴일을 닷새 연휴로 바꾸는 오병이어의 재주를 부려요. 4월 29,30일은 토, 일이니까 원래 쉬는 날이에요. 5월 2,3일을 휴일로 했어요. 그냥 쉬게 해줄 리가 있겠어요.

4월 23일 일요일, 5월 6일 토요일에 대체근무를 해요. 하루 휴일에 주말 2일, 대체 근무일 2일을 붙여서 닷새 연휴를 만들었어요. 4월 23일 일요일부터 근무했어요. 주 6일 근무예요. 생체 리듬, 생활 리듬 다 흐트러져요. 이번 주는 이런 생각을 했어요. 어제 일요일에 일한 것은 잊어버리고 오늘부터 원래 일하는 날이니까 `그냥 일하면 돼` 뇌에 이야기했는데 몸은 아네요. 알아서 피곤해지네요.
노동절 하루 쉬려고 내리 엿새를 일하네요.

중국 공휴일은 한국보다 훨씬 적어요.
임금의 300%를 지급해야 하는 법정 공휴일은 딱 11일이에요.
1월 1일 원단, 춘절 3일, 청명절 1일, 노동절 1일, 단오절 1일, 중추절 1일, 국경절 3일
한국 법정 공휴일이 15일이고 대체휴무가 있는 것을 보면 중국보다 2배는 많다고 할 수 있어요. 중국에는 대체휴무는 없고 대체근무만 있거든요.
얼핏 보면 춘절과 국경절에 7일씩 쉬니까 많이 쉬는 것처럼 보이지만 실제적으로는 주말 2일 + 공휴일 3일+ 대체 근무일 2일을 붙여서 만들어내는 억지 7일 연휴예요. 연휴에 근무를 시켜도 법정 공휴일인 3일만 300%를 지급하고 나머지 4일에 대해 200%를 지급하거나 대체휴일을 주면 되어요. 중국이 생각보다 공휴일에 대해서 야박해요.

다음 생에 태어나면 대체근무말고 대체휴무 있는 곳에서 일하게 해주세요.

이 말을 지인에게 했더니

지인: “ 다음 생에도 노비 하려고? ”
저: “ 노비가 체질인가 봐요.”

이번 노동절에 〈**경항대운하**京杭大运河〉 따라 여행해볼까 해요. 요즘 제가 이 책에 꽂혔거든요. 누구나 다 가지고 있지만 끝까지 읽은 사람은 없다는 제럴드 다이아몬드의 〈**총,균,쇠**〉보다도 재미없어요. 조영헌 교수님 박사 논문인데요. 논문이 어떻게 재미있겠어요? 지금까지 베이징의 시각으로 중국을 봤다면 이 책을 통해 남쪽의 시각으로 중국을 보게 하더라고요. 재미는 없지만 내용에 끌려 이 책 들고 항저우에서 시작해서 베이징까지 흘러간 대운하길 따라서 저도 항저우杭州에서 쉬저우徐州까지 흘러가 보려고요.

조영헌 교수님의 저서<대운하 시대>,<대운하와 중국 상인>

44.LVMH가 휘트니스 클럽도 한다고요?

2023년 5월 19일

중국인들의 루이뷔통에 대한 사랑은 지극하기 그지없어요. 유럽 명품은 다 중국에 있다고 해도 되어요. 베이징에 있을 때 싼리툰三里屯에 건물 한 채 통째로 쓰는 명품 매장들 많았어요. 상하이는 베이징보다 더한 소비도시예요. 개항기 때 고풍스러운 저택 한 채가 명품 단독 매장인 경우도 있어요. 자동차 한 대보다 비싼 시계 차고 다니는 것이 눈에 띄지도 않을 정도로 명품을 사랑하고 좋아하는 나라예요. 사랑의 유통기한이 18개월이라고 하는데요. **루이뷔통에 대한 사랑은 유통기한도 없나 봐요.**

제가 4월에 한국 간다니까 저희 직원이 루이뷔통 캐리온 Carry on 핸드백 사다 달라 해 순순히 그런다 했어요. 그 덕에 저도 명품 매장 안에 들어가 보는 경험할 수 있겠다는 생각 했어요. 저희 회사 대리급이면 월급이 한국 돈으로 세전 평균 250만 원 정도 되어요. 두 달치 급여 정도인 핸드백을 사겠다는 거죠.

중국 직원들 중에 회사를 취미로 다니는 직원들도 많아요. 자기 집 있는 사람들은 생활비만 있으면 되니까 회사는 취미로 다녀요. 저희 보안 아저씨는 상하이에 집이 2 채예요. 성이 장 씨라 장스푸张师傅라고 부르는데요. 우리 직원들 중에서 제일 부자세요.

얼마 전 LVMH가 유럽 기업 중 처음으로 시총 5,000억 달러 넘었다는 기사를 봤어요. 저는 명품 하나도 없다는 자부심 뿜뿜 했는데요. 리모와 캐리어가 LVMH 계열 브랜드 중 하나인 줄 그때 알았어요. 저도 명품(?)을 하나 가지고 있네요.

직원 부탁으로 한국 가서 롯데와 신라 면세점에 가 루이뷔통 캐리온 핸드백 있냐고 물어보니까 없다고 해서 명품 매장 문턱도 못 밟아 보고 왔네요. 역시 저하고 LVMH하고 인연이 없는 줄 알았는데요.

최근에 이런 소문이 돌았어요. LVMH에서 제가 다니는 윌스Wills威尔士라는 피트니스 클럽을 인수했다는 거예요. 중국에서 피트니스 클럽을 등록할 때는 신중해야 해요. 한국도 마찬가지만 도산하거나 소위 야반도주하는 경우가 많아요. 피트니스이든지 미장원이든 마사지 가게이든 선불카드를 살 때, 상점 임대 기간이 얼마 남아있는 지 봐야 해요. 임대 기간이 제가 카드를 쓸 기간보다 길게 남아 있어야해요. 주로 임대 기간 만기될 때 문제가 발생하거든요.

윌스는 상하이에 본사에 있고 중국 전역에 체인점이 있는 대형 피트니스 클럽이에요. 저는 베이징 왕징에 있을 때 3년 회원 등록했고 상하이로 올 때 그대로 옮겨줘 여기서도 윌스를 다니고 있어요. 상하이에는 베이징보다 체인점이 많아 스케줄에 따라 다른 곳에 있는 곳에 가서 운동할 때도 있어요. 호텔 피트니스처럼 고급스럽지 않아도 GX가 잘 되어있어 특별한 일 없으면 퇴근하고 바로 쪼르르 가서 운동해요. 근데 제가 다니는 윌스를 LVMH가 인수했다고요. 어떻게 된 걸까요?

LVMH 인수 후 전체 체인점의 80%를 프리미엄급인 윌스W로 업그레이드할 예정이고 회원권 가격도 올릴 예정이니 지금 미리 장기로 회원권을 끊어야 한다는 이야기가 떠들썩하게 인터넷에 돌았어요. 상장도 예정되어 있어 향후 회원권 가치도 오를 거라는 이야기와 더불어서요. 저 같은 외국인 귀에도 들어올 정도였어요. 호기심이 발동한 안나는 윌스매니저에게 물어봅니다.

`LVMH가 윌스를 인수했다는 데 맞나요?`

2018년도에 이미 투자해서 상당 부분 지분을 가지고 있다는 거예요.

음. 뭔가 이상하네요. 챗GPT에다 물어볼까 하다 다시 손가락 운동을 시작했어요. LVMH의 베르나르 아르노 회장 일가 자산관리를 해주는 사모펀드 엘 카털튼 L Catterton에서 2018년에 윌스 지분 일부를 인수하고 경영에 관여하고 있다네요.

LVMH에서 투자한 게 아니라 아르노 회장 일가의 자산을 관리하는 PF Private Fund에서 한 거네요. 엘 카털튼이라는 회사에 대해 이번에 처음 알게 되었는데 우리나라에서 YG나 젠틀 몬스터에도 투자했었네요. 제가 즐겨 신는 버켄스탁에도 투자했고 웬만한 괜찮다는 브랜드에는 다 투자하는 회사네요.

루이뷔통이 윌스를 인수했다는 소문의 진실은 이미 2018년에 루이뷔통은 아니고 회장님 자산관리 운용펀드사인 엘 캐털튼이 지분 투자를 하고 경영에 참여하고 있다는 것이었어요.

루이뷔통의 L만 스쳐도 프리미엄이 붙고 선망과 주목의 대상이 되니 루이뷔통이 좋기는 좋나 봐요.

중국이나 한국이나 SNS의 발달로 너무 많은 정보가 넘쳐흐르는 과잉의 시대예요. 많은 것은 없는 것만큼 안 좋을 수 있어요. 흔들리지 말고 자기 중심을 잡고 넘어지지 않게 뒤처지지 않게 살아가야 하는 우리 삶은 중국이나 한국이나 똑같이 고달프네요.

고달픈 일상에서도 분명한 것은 전 퇴근하고 운동가야 한다는 것이에요.

윌스의 소유주가 LVMH이든지 엘 캐털튼이든지 전 퇴근하면 바로 가방 메고 피트니스 클럽으로 가고 있어요. 근데 가방에 이런 말이 써 있네요.

45.기차는 5시에 떠나네

2023년 5월 22일

지난해 상하이 봉쇄 때, 저는 베이징으로 돌아가고 싶었어요.

낯선 상하이에서 봉쇄 상황이 버겁고 힘들었어요. 하지만 생각대로 할 수 있는 일은 없잖아요. 6월 1일에 상하이봉쇄는 끝났고 저는 결국 베이징으로 돌아가지 못했어요.
1년 반 만에 베이징으로 나들이 갔어요. 지인이 8월에 귀임한다네요. 베이징에서 근무하다 한국 복귀했다가 다시 2019년도에 베이징으로 왔어요. 그때 기뻤어요. 저는 붙박이라 계속 중국에서 근무하는데 지인들은 대부분 주재원들이라 임기 마치면 귀임하거든요.

베이징에 살면서 많은 이별을 했어요. 3년, 4년이라는 시간을 함께 하고 나누었던 사람들이 한국으로 돌아가면 **제 마음속에 작은 멍이 들어요.** 그렇게 멍들면서 수많은 이별을 했어요.

지인의 복귀는 반갑고 기뻤어요. 좋았던 시간도 잠시..
지인은 2019년 11월부터 시작된 코비드 19로 3년 넘는 시간 동안 고생만 하다가 귀임하네요.

다른 지인이 베이징으로 돌아왔어요. 2015년에 베이징을 떠났다가 올해 다시 베이징으로 귀임했어요. 돌아온 지인이 보고 싶고 반가웠어요. 저는 베이징을 떠났지만 계속 베이징에 지인들이 있어요.

떠나는 지인은 아쉽고, 돌아온 지인은 반갑고, 계속 있는 지인은 보고 싶어서 금요일 밤에 베이징으로 갔어요. 홍차오기차역에서 저녁 7시 기차를 타고 베이징남역으로 갔어요.

베이징에 도착해서 제가 살고 다녔던 곳을 갔어요. 제일 먼저 간 곳은미장원이 오픈했을 때부터 다녔던 〈**박승철 헤어**〉미장원에 갔어요. 중국 미장원들은 대부분 선불카드를 만들어야 할인받을 수 있어요. 계속 선불카드 충전해 가며 다녔던 곳인데 잔액이 남아 있어 갔어요. 잔액 쓰고 머리펌을 했어요.

미장원 바로 옆에 제가 제일 좋아했던 발마사지집이 있어요. 〈**오디 발마사지**〉는 깨끗하고 서비스가 좋아 예약해야만 발마사지를 할 수 있어요. 제가 살던 아파트 안에 있어 다른 사람들은 발마사지받고 집까지 돌아가려면 귀찮다고 투털대면 저는 오디에서 마사지 받고 집에 걸어갈 수 있는 `**오디권**`에 산다고 자랑했어요. 마사지 받으러 가면 바로 잠이 들어요. 집 두고 왜 마사지집 가서 자는지 몰라 그렇게 농담하면서 일주일에 한 번씩 마사지 받곤 했어요.

제가 일요일 아침마다 장바구니 들고 장 보러 가던 〈차이시앤궈메이〉菜鲜果美예요. 유일하게 오프라인 쇼핑하던 곳이에요. 야채, 과일도 신선하고 좋고 해산물도 다 손질해 줘요. 일요일 아침에 눈 비비고 일어나 세수도 안 한 부스스한 얼굴로 가서 장바구니 가득 채워 낑낑대면서 돌아오는 게 제 루틴이었어요.

미식천국이고 세상에서 맛나고 유명한 음식, 미슐랭 레스토랑 넘쳐나는 상하이에서 제가 먹고 싶었던 것은 〈**정일품**〉 비빔밥이었어요. 상하이에는 나물을 이렇게 만들어주는 곳이 없더라구요. 이 식당은 제가 베이징에 왔던 2011년도에 있었어요. 그 긴 시간 동안 식당 주인이 한국인에서 중국인으로 바뀌었지만 40위안짜리 나물비빔밥 가격은 그대로네요.

중국의 신라호텔이라고 제가 말하던 누오호텔NUO은 여전히 중국풍의 고급스러운 인테리어와 분위기예요. 아침에 뫼벤픽아이스크림까지 주는 풍성한 조식을 지인과 폭풍 수다 떨면서 열심히 먹었어요.

곡식을 쪼아먹는다고 참새를 잡았고 참새가 없어지자 병충해로 오히려 수확량이 줄어 결국 수천만 명이 아사하는 비극을 불러왔던 대약진 운동의 `대약진`을 브랜드로 한 **다웨맥주**大跃啤酒Great leap brew 에서 수제맥주 한잔 했어요. 기억하기도 싫을 대약진이라는 명사가 상표로 가능한 이 나라는 관대한 걸까요? 그 생각하면서 왕징에서 가까워서 자주 갔었던 맥주집이에요.

십 년 동안 건너고 건너왔던 사거리에서 멈춰봤어요. 멀리서부터 신호등 보면서 언제 파란등으로,빨간등으로 바뀔까 걸음속도 조절하면서 건너기 바빴어요. 그 사거리에서 멈춰 본 적이 없어요. 빨리 건너가야 한다는 생각 밖에 없었어요. 오늘은 그 사거리에 파란등에 안 건너가고 멈춰봤어요.

이민호 님의 제대 후 복귀작으로 기대를 모았지만 흥행 실패한 드라마 〈**더 킹, 영원의 군주**〉에 시간 병행 이론이 나와요. 같은 2023년이지만 한 곳에는 대한제국이, 한 곳에는 대한민국이 공존하는 병행 이론..

사거리에서 저는 시간 여행자가 되었어요. 2023년 5월인데 저는 상하이에서 베이징이라는 완전히 다른 공간을 넘어왔어요.

우리은행 베이징 왕징지행앞에 가봤어요. 휴일이라 문을 닫았어요. 매일 아침 다다다 걸어 출근한 곳이에요. 입점해 있는 건물이 리노베이션 한다고 해 공사 소음, 먼지, 진동으로 고통받았고 위치 조정으로 내부 공사를 새로 해야 했고 다른 곳에 임시로 이사 갔다가 다시 이 자리로 오는 과정이 쉬웠을까요. 화장실도 제대로 없던 환경, 온통 페인트, 유해물질에 소음과 진동 가득한 공사판 속에서 보냈던 힘들었던 시간의 무게도 시간이 흐르니 가벼워지네요.

처음 왕징에 와서 살았던 집도 가봤어요. 이사하자마자 바로 앞에 왕징 소호SOHO가 공사시작했어요. 저는 왕징에서 소호 땅 팔 때부터 살았다고 농담하지만 그때는 밤에 자면서 땅 파는 진동을 느껴야 했어요. 제가 중국에 사는 시간 동안 하루도 공사판을 보지 않고 공사 소음을 듣지 않는 날이 없었네요.

떠날 때까지 살았던 집도 가봤어요. 아파트는 오래되었지만 집주인이 살던 집이라 인테리어가 잘 되어있는 빈 집이었어요. 좋은 집주인 만나서 5년 동안 잘 지냈어요. 물론 저도 벽에 지문 하나 안 묻게 깔끔하게 관리하고 살았어요.

시간과 공간은 누구에게나 어디에나 있어요. 어떻게 흘러가는지 무엇이 있는지는 다르겠죠. 주말 동안 저는 상하이에서 베이징으로 2021년 10월에서 2023년 5월로 타임머신을 타고갔어요.

우리가 살고 있는 공간과 시간은
떠난 사람에게는 그리움이고 오지 않은 사람들에게는 설렘이죠.

지인들과의 만남을 마치고 베이징남역으로 갔어요. 베이징에서 살 때는 떠나기 위해 갔던 곳을 이제는 상하이로 돌아가기 위해 가네요.

아그네스 발사Agnes Balsa가 불렀던 그리스 민요

〈기차는 8시에 떠나네〉

사랑하는 연인과 함께 지중해 연안의 아름다운 카타리니로 가서 행복하게 살기로 했지만 조국을 버릴 수 없었던 연인은 끝내 오지 않았고 혼자 탄 기차는 **8시에 떠났고**
베이징에서 살았던 시간과 공간에 대한 아쉬움과 추억을 내려놓고
지금 살고 있고 살아야 할 상하이로 가는 제가 탄 기차는 이제
5시에 떠나네요.

46.〈안 돼, 안 돼〉시즌 3-기습방영

2023년 5월 25일

2023년 5월 21일 저녁부터 네이버 포털 사이트가 차단되었어요. 심지어 네이버 사전 앱도 안 되어요. 다음 Daum 사전 앱도 안 되는데 네이버 사전 앱도 안 되네요. 모르는 글자가 있으면 앱에서 찾아봐야 하는데요. 중국 사람들도 자기네 한자를 다 읽지 못하는데 외국인인 우리가 어떻게 모든 한자를 읽을 수 있겠어요. 중국어는 성조도 있어서 성조도 찾아봐야 하고요. 2010년대로 돌아가 누리안 전자사전 가지고 와야 해요.

〈안 돼, 안 돼 〉시즌 1은 2014년 다음 카카오톡 차단이었어요.
국민메신저라는 카카오톡은 해외 사는 사람들에게는 꼭 필요해요. 한국에 있는 가족, 지인들과 무료로 영상통화를 할 수 있어 저희에게 필수 앱이었어요. 카카오톡 차단으로 우리는 모두 싫으나 좋으나 위챗을 사용하게 되었어요. 위챗으로 아쉬우나마 영상, 음성 통화가 가능하니까요. 한국에 있는 사람들도 중국에 있는 우리와 소통하기 위해 울며 겨자 먹기로 위챗을 깔아야만 했어요. 위챗이 세계 최대의 온라인 메신저가 되는 데 한국 사람들도 강제 기여했어요.

제 카카오톡은 1년 이상 사용 안 해 휴면이 되었어요. 카카오톡 사용 중지로 한국 내 모든 네트워크는 끊어졌어요. 필요한 사람들은 위챗을 깔아서라도 연결이 되었네요. 카톡 강제사용중지로 인맥 다이어트 한번 제대로 했네요.

시즌 1.5로 카카오톡에 이어 2019년에 우리나라 다음Daum포털도 사용 중지되었어요.

〈안 돼, 안 돼 〉시즌 2는 2018년 네이버 카페, 블로그 차단이었어요.

해외 사는 사람들에게 지역 사회 카페는 필요해요. 해외를 처음 오는 사람들에게 생활 정보, 학교, 교통, 병원 등의 기본 정보를 위한 지역카페는 필요해요. 사는 사람들에게도 여행을 오는 사람들에게도 지역 카페는 완전히 소중해요. 네이버 카페와 블로그는 개인의 의견을 쓸 수 있고 떼(?)를 만들 수 있으니까 안된다는 것이 차단 이유였어요.

중국이네서는 모이면 안 되고 의견을 나누면 안 된대요. 카페를 기반으로 했던 모임들은 위챗 단체방으로 옮기면서 동호회 카페들은 다 개점휴업이 되었고 상업성, 음란성 광고가 판치고 있어도 관리할 수 없는 카페들이 많아요.

카페나 블로그를 보거나 이용하려면 VPN을 사용해야 해요. 제가 VPN이용하는 데 쓰는 돈은 한 달에 11,000원이에요. 중국이네 살면서 내야 하는 월세 중 하나네요.

〈안 돼 , 안 돼〉 시즌 3은 이번 네이버 포탈 차단이에요.

중국이는 뭘 바꾸면 중간이 없어요. 기준금리도 일요일 저녁에 발표하고 월요일 아침부터 적용하고요. 정책은 12월 31일에 발표하면 1월 1일부터 시행이에요. 기습적으로 네이버 포털을 차단당한 교민들은 지금 어려움이 많아요. 이메일을 사용할 수 없어요. 보통은 네이버, 다음 이메일 계정을 사용하는데 다음이 안되니 주로 다들 네이버를 사용했는데요. 당장 사용할 수 있는 이메일이 없네요.

우리나라는 네이버, 다음, 네이트 등, 인터넷 포털이 여러 개 있지만 다른 나라는 구글 말고 사용할 수 있는 자국 포털이 없어요. 우리나라 포털 사이트가 막히니 구글이라도 사용하고 싶지만 구글은 중국에서 차단된 지는 10년에서 2년 모자라요. 지금 저희가 사용할 수 있는 한국 포탈은 네이트 하나예요. 아니면 중국의 바이두를 쓰던지요.

저희는 이유도 없이 영문도 모르고 온라인 접속 차단 감옥에 갇혔어요. 만기도 모르고요.
네이버도 뭘 할 수 없어요. 천하의 구글도 찌그러져 있는데요.
인신을 구속할 수 있는 형법에 죄형법정주의가 있어요. 범죄와 형벌은 미리 법률로써 정해야 한다는 근대 형법의 원칙 중 기본 중 기본이에요. 권력자가 마음대로 할 수 있는 죄형전단주의와는 대립되는 원칙이죠. 아무리 사회적으로 비난받을 행위라도 법률에 없으면 처벌할 수 없어요.

법률 없으면 범죄도 없고, 법률 없이 형벌도 없다.

국민의 자유와 권리를 보장하기 위해서 국가 권리를 제한하는 건데요. 국가가 마구 권력을 휘두르면서 오남용을 할 수 있잖아요. 저희는 비난받을 행위도 범죄도 저지른 적이 없는데 온라인 접속차단 감옥에 갇혔네요. 죄형법정주의라는 근대 형법의 원칙이 생긴 지 800년도 넘었는데요.

저희는 지금 2023년,21세기에요.
아,저희에게 원죄가 하나 있네요.

한국이네서 안 살고 중국이네서 사는 죄..

〈안 돼, 안 돼〉 시리즈 스핀오프 버전으로

트위터, 페이스북, 인스타그램, 텔레그램, 왓츠앱, 넷플릭스, 유튜브 시리즈가 있어요. 지메일 안 되는 것은 쿠키영상이에요.

사이트에 연결할 수 없음

cafe.naver.com에서 응답하는 데 시간이 너무 오래 걸립니다.

다음 방법을 시도해 보세요.

- 연결 확인
- 프록시 및 방화벽 확인
- Windows 네트워크 진단 프로그램 실행

ERR_CONNECTION_TIMED_OUT

새로고침 세부정보

47. 돌이 필요해요.

2023년 6월 1일

상하이는 원래 이랬는지 몰라요. 집을 나서 푸른 나무 터널 아래로 걸을 때마다 위를 봐요. 상하이에는 물질을 구성하는 4원소, 공기, 물, 불, 바람 말고 `초록`이라는 제 5원소가 있나 봐요. 어디 가나 초록초록한 나무들이 있어 좋아요.

사람들도 많아요. 베이징은 오환五环을 벗어나면 인구밀도가 뚝 떨어져요. 상하이는 외환外环을 벗어나도 인구밀도가 비슷해요. 동네마다 스타필드 시티정도 쇼핑몰은 하나씩 있어요. 하남 스타필드 규모 쇼핑몰은 한국으로 치면 동마다 하나씩 있어요.

2019년도 코로나 이전의 상하이가 어땠는지 몰라요. 2021년에 상하이로 왔으니까요. 원래 이렇게 상하이는 어딜 가나 사람이 많고 북적이고 길이 막히는 곳이었을까요?

2023년 6월 1일, 상하이 봉쇄가 풀린 지 1년이 되네요. 봉쇄가 풀리고도 `간헐적 봉쇄`, `위클리 락다운` 이런 식으로 봉쇄와 격리는 반복되었어요. 저는 지난해 12개월 중 3개월을 봉쇄와 격리로 보냈어요.

12월에 위드코로나를 하면서 코로나 쓰나미가 중국을 쓸고 갔고 6개월이 지났어요. 요즘 코로나 양성자들이 조금씩 생기고 있어요. 은행에서도 직원들이 돌아가면서 걸려요. 청소아주머니가 걸렸는데요. 그날 아침에 아주머니와 저하고 대화를 했는데 저는 아직 괜찮아요. 예전처럼 전파 속도가 빠르지 않네요. 다시 걸린 직원들도 처음보다는 덜 아프다고 하네요.

지난해에 안 걸렸던 사람들도 이번에 걸렸어요. 어떤 분은 코로나 유행했던 3년 반 동안 안 걸리다가 이번에 걸렸어요. **전 인류가 다 걸려야 끝난다는 말은 농담이 아니네요.**

끝까지 빠진 사람 없이 다 챙기는 열일하는 코로나 바이러스네요.

지난 3년 간 중국 제로코로나정책 모든 과정을 시작부터 끝까지 겪으면서 저는 **화물신앙** 货物信仰 cargo cult을 믿는 사람들의 광기 어린 집단의식을 보는 듯했어요.

2차 세계대전 당시 미군, 일본군 부대들이 남태평양 일대 섬에 기지를 만들면서 외부세계와 단절되어 살아가던 섬 원주민들에게 현대 문명의 이기들, C-레이션, 코카콜라, 허쉬 초콜릿 …

맛있고 편리한 서구음식들과 라디오, 무전기 같은 물건들, 그들이 만드는 인프라, 항만, 막사, 오락시설, 비행장, 격납고 등의 시설들은 원주민들에게 충격이고 새롭고 놀라웠겠죠.

2차 세계대전 종료 후, 미군들은 시설과 물자들을 남기고 떠났어요. 원주민들은 다시 그들이 비행기를 타고 와 물자를 주기 바랐어요. 그들이 다시 오게 하기 위해 활주로, 관제탑 모형을 만들고 헤드셋

모형까지 만들어서 쓰고 하늘을 향해서 팔을 휘젓으면 그들이 다시 올 거라고 기다렸대요.

화물신앙(사진:구글)

보다 못한 서양인들이 이건 신도 아니고 종교도 아니고 단지 물자를 싣고 비행기가 온 것이라고 말해도 믿지 않았다고 하네요. 기다린 지 몇 십 년이 지나도 그들은 오지 않는다고 하자 오히려 당신들은 예수 그리스도를 2천 년 동안 기다리지 않았냐고 되물었다고 하네요.

`**화물신앙**`이라는 말은 일반명사가 되어 인과관계를 혼동한 맹목적 믿음을 가리킨다고 하는데요. 원주민들이 풍요로운 물자를 실은 비행기를 오길 바라면서 행했던 맹목적 의식과 믿음을 저는 3년 내내 제로코로나 정책을 했던 중국에서 봤어요.

2020년 봄, 중국은 강력한 제로코로나 정책으로 코로나 초기 방역에 성공한 듯했어요. 인간이 바이러스와 싸워 이길 수 있을 것 같다는 달콤한 착각에 다른 나라들이 위드코로나를 하면서 희생과 혼란을 겪는 것을 비웃으며 *`안전한 나라에 사는 것을 행복해하라`*고 했어요. 인간이 어떻게 자연을 이겨요.

코로나 바이러스는 슬금슬금 중국에서 퍼지기 시작했고 중국은 화물신앙처럼 코로나 바이러스 초창기 때처럼 강력한 방역 정책을 펼치면서 *`제로코로나`*가 오기를 중얼중얼거렸어요.

제로코로나는 오지 않았어요. 남태평양 원주민들은 지금도 화물기가 오기를 기다리지만 중국은 이제 제로코로나를 기다리지 않아요. 늦게라도 포기해 줘서 고맙다고 해야 하나요.

3년 동안 제로코로나 오라고 펼친 의식에 저 같은 외국인들도 끌려 나가야 했어요. 잘못된 믿음과 판단이 얼마나 큰 피해와 고통을 가지고 오는지 저는 봤어요.

집 안의 식기, 농기구 녹여 철을 만들어 영국을 앞서는 강대국이 되겠다는 *`대약진 운동`*

자신들의 전통문화와 문화재를 스스로 없애고 부셨던 *`문화대혁명`*

굵직굵직한 근현대사건들을 책이나 다큐에서 볼 때마다 어떻게 *`영구 없다`* 같은 일이 있었을까 생각했지만 제가 현대사에서 이런 사건을 겪게 될지는 우리 엄마도 모르셨겠죠.

우리는 어디에 기록을 남겨야 할까요?

수많은 저장장치들이 있었지만 몇 십 년은 고사하고 십 년도 제대로 저장할 수 있는 것이 드물어요. 비디오, 카세트테이프, CD, DVD, 플로피디스켓, 외장하드, USB… 지금 클라우드에 저장하지만 과연 얼마나 유지와 보존이 가능할지는 너도 나도 몰라요.

돌, 결혼, 졸업, 입학 이런 기념일에 촬영했던 사진과 영상이 지금 어디 있는 지도 모르잖아요.

아이러니하게 가장 오래 보관할 수 있는 저장장치가 돌에 새기는 거래요. 선사 시대의 일도 돌에 새긴 것은 지금도 남아있어요.

우리가 중국에서 겪은 3년 동안의 일과 과정은 어디에 남겨야 할까요? 저는 석수처럼 끌과 정을 들고 땅땅 돌에 새겨놓고 싶어요.

다시 바보 짓 하지 말라고요.

48.KGW마트에서 울다

2022년 6월 21일

〈H마트에서 울다〉라는 낯선 제목의 책은 우연히 제게로 왔어요.

H마트는 `**한아름마트**`라는 상호네요. 특정상호이기보다 한인슈퍼를 상징한다고 느껴져요, 저는 한아름마트라는 단어를 보면서 베이징의 ` 내고향마트`가 생각났어요.

미셸 자우너 Michelle Zauner, 밴드 뮤지션으로 기타리스트이자 가수예요. 아버지는 미국인, 어머니는 한국인. 두 나라의 피를 반반씩 가지고 태어났어요. 25살 때 어머니를 췌장암으로 잃게 되어요. 어머니의 병을 알게 되고 투병 과정을 함께 하면서 어머니를 떠나보네요. 그 과정을 자세히 솔직하게 기록했어요.

어머니에 대한 사랑과 미움, 이해와 거부 그리고 그리움..

〈H마트에서 울다〉는 반은 저의 이야기이고 반은 우리들의 이야기예요.

누구나 성장과정에서 부모와 갈등을 겪고 의견 충돌과 반항, 싸움, 미움이라는 고통을 겪어요. 미셸은 미국에서 성장하지만 방학 때마다 한국에 가서 한국어도 배우면서 조금씩 한국적 생활 방식과 사고에 익숙해져요. 미국에서 생활할 때, 엄마와 같이 H마트에서 가 한국 물건도 구입하고 *`김밥, 짬뽕`* 같은 한국 음식을 먹으면서 성장해요. 엄마가 돌아가신 후 혼자 H마트에 가서 엄마와의 추억을 떠올리면서 그리워해요.

`엄마가 없는 나는 한국인이기는 할까…`

참기름을 몇 cc 대신 고소한 맛이 날 때까지 넣으라는 아리송한 말로 설명하기 좋아하는 한국인.

미셸은 성장 과정에서 정체성 혼란을 느껴요.
백인 아버지와 한국인 어머니에서 태어난 나는 누구인가 하는..

그런 혼란 속에서 H마트에 가서 엄마와 얼큰한 짬뽕을 먹고 군만두를 먹을 때 한국인의 감성을 느껴요. H마트는 단순히 물건과 음식을 파는 공간이 아니라 그곳에 가기 위해 1시간이 넘게 차를 운전해서라도 가고 싶은 한국에 대한 향수와 그리움을 치유하는 공간이에요.

해외에서 살면 한인마트는 꼭 필요해요.
상하이 홍췐루에는 **K**마트,**G**마트,**W**마트가 한인 마트 3대장이에요.
한국 식품과 물건은 구입할 수 있죠. 늘 사 먹는 라면,참치캔 같이 익숙한 식품도 있고 청정원 고추장, 간장,된장 같은 양념도 사고 한국에서 새로 출시한 신상품을 보면 신기해요. 대부분 음식과 반찬도 같이 만들어서 팔아요. 우리가 아무 생각 없이 장바구니 들고 가는 한인 마트가 누구에게는 추억과 그리움의 공간이에요. 미셸 자우너는 한인마트에 쌓여있는 과자 포장, 식품코너에서 만들어 파는 떡볶이, 김밥에서 나는 참기름 냄새에서도 그리움과 추억을 느껴요.

미셸에게 H마트가 추억과 그리움의 공간이었다면 저에게 베이징 왕징의 `**내고향마트**`가 그래요. 꽁꽁 얼은 냉동식품이지만 한국 부산 어묵도 사고 낙원 식품에서 만들어 파는 떡과 김밥도 사 먹고 겨울이면 붕어빵도 구워서 팔아요. MSG 듬뿍 들어간 빨간 떡볶이 국물은 정기적으로 섭취해야 하는 영양제 같고 참기름 발라 돌돌 만 까만 김밥 안의 인공 색소로 물들인 노란 단무지는 비타민처럼 상큼한 신맛이에요. 한국 쿠쿠밥솥도 팔고 한국 화장품도 팔아요. 멸균우유이지만 서울우유, 남양우유도 사 먹고 얼었다가 녹았다가 다시 얼린 한국 아이스크림도 있어요. 한국보다는 비싸지만 웬만한 물건을 다 구해주는 알라딘의 요술램프였어요.

상하이에는 **징팅다샤**井亭大夏가 그런 느낌이 들어요. 예전에 갤러리아라는 쇼핑센터가 있었대요. 교민들은 지금도 갤러리아라고 불러요. 저는 갤러리아 쇼핑센터가 없어진 후에 상하이에 왔는데요, 사람들이 갤러리아에서 보자고 해도 알아들을 수 있어요.
이 건물에 `**상하이 희망 도서관**`도 있고 `**북코리아**`라는 한국 서점도 있어요. 전설의 짬뽕이라는 불리는 `**도도원**`도 있고 레전드 오브 레전드라는 `**무봉리순대**`도 있어요. 옷 수선집도 있고 모닝 글로리도 있고요. 반포고속터미널 지하상가처럼 옷가게,잡화 상품도 있어요.

상하이에서 태어나고 성장하는 우리 아이들은 징팅다샤에 있는 마트와 문구점도 가고 학원을 다니고 도서관을 가고 `**도도원 짬뽕**`과 `**부산어묵 떡볶이와 어묵**`을 먹어요.

매일 갤러리아를 지나다니고 드나들면서 조금씩 우리의 추억이 쌓이고 있어요. 이곳에서 성장했던 아이들도 한국에 가서 혹은 다른 나라에서 여기 상하이를 생각하면서 한인마트와 여러 가게가 있었던 갤러리아가 생각날 거예요.

해외 사는 우리는 한인마트에 가서 한국에 대한 그리움과 아쉬움을 빨간 고추장 가득 들어간 매운 떡볶이와 고소한 냄새 폴폴 윤기나는 김밥으로 보상받아요.

저도 다른 사람들도 언젠가 상하이를 떠나서 더 이상 한인마트가 필요 없어지겠죠. 나중에 K마트,G마트,W마트에 와서

누군가와 함께 했던 시간과 추억을 그리워하면서
눈물 지을까요?
미소 지을까요?

장충동왕족발
泡菜五花肉
KIMCHI & PORK BELLY ROLL
김치삼겹살말이
蟹肉棒
香肠
TASTE

49.상하이의 시작, 광푸린 广富林

2023년 7월 14일

2021년10월, 베이징에서 상하이로 이사한 저는 상하이하고 친해질 시간도 없이 70평방미터 아파트에서 하얀 벽에 갇혔어요. 상하이는 나한테 `왜 이럴까` 하는 생각 하면서 상하이는 어디서 생겼고 어떻게 만들어졌는지 궁금해졌어요.

10년 동안 베이징 살면서 한 번도 베이징 유래가 궁금하지 않았는데요. 그때는 챗GPT가 없으니 손가락 운동을 했어요. 우리가 상하이하면 생각나는 멋진 야경의 와이탄, 으리으리한 스카이라인으로 하늘을 찌를 듯 솟아있는 푸동의 빌딩숲은 1,843년 전에는 없었어요.

상하이는 물고기 잡던 작은 어촌이었고 상하이 중심지는 푸동과 와이탄이 아니라 송장松江이라고 하네요. 지금은 송장하면 시골 동네..

`시내에서 너무 멀어요` 하는 외곽지역이지만 아편전쟁으로 상하이가 개항하기 전까지 상하이 중심은 송장이었어요. 송장부 상하이현 松江府 上海县이었대요. 여기가 상하이의 시작이라는 거예요. 검색을 통해서 본 광푸린 문화 유적지 사진은 예쁘고 특이했어요. 물에 잠긴 건물의 모습.. 이 사진만으로도 제 호기심과 관심을 펌핑하네요. 지난해 10월과 올 7월에 광푸린을 갔어요.

1958년, 송장 지역의 농부가 수로공사를 하다 우연히 신석기시대에 쌀을 경작하는 농경을 했고 집단거주와 주택의 형태를 갖추었다는 광푸린 문화 유적들을 발견해요.

광푸린 문화전시관은 물에 잠긴 모습이라 영어로 Water house 혹은 Water museum으로 불려요. 광푸린 문화 유적지 전체 면적은 15만 제곱미터라고 하네요. 무료로 개방하고 문화전시관, 유물전시관은 30위안씩 입장료를 받아요.

가장 핵심은 문화전시관이에요. 전시관은 수심 2m에서 시작해 수심 6m까지 내려가요. 신기하죠. 어떻게 공사를 했을까? 호기심 가득한 눈으로 열심히 보며 유추한 결론은 이 지역의 물을 빼고 공사를 한 후 다시 물을 채웠다는 거죠.

전시관에 4,000여 년 전 농경문화와 집단거주, 종교, 계급, 통치체제를 보여주는 유물, 유적에서 시작해 근대 상하이까지의 모습을 쭉 보여줘요. 몇 천년을 시간이동하면서 보는 기분이에요.

들어가면 발굴현장을 재현해 놨어요. 발굴하는 모습의 인형들은 마치 사람 같아 몇 번씩 쳐다보게 되어요. 표지는 영어 한 글자 없이 깔끔하게 모두 중국어로 표기되어 있어요. 한자 읽기 힘든 사람은 파파고 이용하면 되어요. 파파고로 사진 찍어서 텍스트 추출하면 한글로 번역이 되네요. 다 맞지는 않지만 어느 정도 무슨 말을 하는지는 파악할 수 있어요.

이곳에서 량주문화良渚文化 무덤 32개, 광푸린문화 무덤 8개(2008년 출토)를 비롯해 아궁이,우물,연회장 등 300여 개가 넘는 유적이 발굴되었어요. 광푸린문화는 하상夏商 시대의 마치아오马桥 문화, 춘추전국시대의 우위에吴越문화로 발전해요.

1961년, 고고학자들은 광푸린유적이 마자방문화马家浜文化와 송저문화崧泽文化사이에 형성된 량주문화에 속한다는 것을 확인해요. 1999년부터 2001년까지 2,3차 발굴 때, 한나라 때 건축 유물이 출토되어요. 광푸린문화는 타이후太湖 지역 신석기 문화를 송저, 량주, 광푸린 문화로 구분했고 황하 유역에서 온 이민자들이 상하이에 정착한 첫 번째 이민자 그룹이었다는 것을 알 수 있어요.

B.C.4,300~ 4,000년대까지 장강长江 하류지역, 타이후를 둘러싸고 발달한 허무두河姆渡 문화를 뿌리로 마자방문화와 량주문화를 이어서 발달한 신석기 시대 말 문화, 상하이에서 발굴된 최대규모의 규모의 광푸린문화는 상하이가 단순한 해변마을이 아니라 문화가 있었던 도시였다는 것이 알리는 고고학적 의미예요.

광푸린 문화전시관을 나와서 논을 가로질러 건너편에 있는 고고학 전시관으로 갔어요. 유적지 중간에 여기 신석기 농경문화가 있었다는 것을 보여주려는 지 실제 벼를 재배하고 있어요. 우리나라 창경궁 비원에 있는 창의정에서 작은 논이지만 실제 벼를 재배하고 추수하는 것과 비슷해 보여요. 고고학 전시관도 입장료 30위안, 출토된 유물과 토기 위주로 전시해 놨어요. 황하 지역의 토기들과 색상, 장식 면에서 차이를 보이네요.

광푸린에서 출토된 뼈바늘을 조형물로 세운 골침광장骨针广场, 상하이 타워 52층에 있는 핫한 책방 두어인수위앤朵云书院도 있어요. 입장료를 내지 않아도 물에 잠긴 아름다운 건물들과 유적지, 봄이면 매화 , 가을에는 낙엽을 즐길 수 있는 문화공원이에요.

지금은 상하이 외곽의 한 지역으로 분류되지만 한때 송장부 상하이현이었을 정도로 사회,정치, 문화의 중심이었던 송장에서 상하이가 시작되었네요.

세계에 어떻게 문명이 4개만 있었겠고 중국이라는 넓고 너른 땅에 황하문명 하나만 있었겠어요. 여러 지역에 다양한 사람들과 문화가 있었다는 흔적이 남아 있어요. 1978년, 베이징대 쑤빙치 苏秉琦 교수는 중국신석기문화가 여러 지역에서 서로 주고받으면서 공동으로 발전했다는 ` **구계유형론**`을 주장해요. 중국이는 황하를 중심으로 앙사오仰韶, 룽산龙山문화를 낳은 황하문명으로 중화민족은 단일한족이라고13억 인구를 하나로 묶고 싶어해요. 중국 여러 지역에 황하말고 장강을 따라 발전한 신석기시대 유물과 유적이 이렇게 많은대요.

4,000여년전, **지금 상하이를 있게 한 신석기 시대 찬란한 광푸린 문화는 물 속에서 지금도 빛나고 있어요.**

50.한국에서 태어나 중국에 사는 뚜레쥬르와 카카오프렌즈

2023년 7월 28일

상하이 코리아타운 홍췐루에 뚜레쥬르 매장이 있어요. 홍췐루는 제가 매일 지나다니는 곳이에요.

뚜레쥬르와 카카오프렌즈가 콜라보한 귀염귀염한 케이크가 있네요. 뚜레쥬르와 카카오프렌즈, 이 두 브랜드가 콜라보한 것을 보니 두 브랜드 공통점이 생각났어요.

1997년, 한국에서 태어난 뚜레쥬르는 매일매일 신선한 빵을 구워서 판매한다는 컨셉으로 한국 베이커리 시장의 새로운 판도를 열었어요. 2005년에 베이징, 2007년에 상하이에 점포를 내면서 뚜레쥬르는 중국 사업을 시작해요.

2014년, 베이징 왕징 코리아타운에 당시 한국성이라고 불리는 중심 상권에 기존 KFC를 밀어내고 식사와 베이커리를 같이 판매하는 브랑제리 앤 비스트로 프리미엄 매장을 열면서 길 건너 화리앤华联 쇼핑몰 1층에 있는 파리바게트와 전면전을 시작해요.

당시 왕징 교민들은 다 파리바게트 빵만 먹는다고 할 정도로 압도적 시장점유율과 탄탄한 고객층을 가지고 있던 파리바게트와 뚜레쥬르는 치열한 경쟁을 해요. 파리바게트도 점포를 리뉴얼해서 파리바게트 시그니처매장으로 업그레이드 했어요. 덕분에 교민들은 양쪽 매장을 이용할 수 있었어요.

이 치열한 승부에서 뚜레쥬르의 손을 들어 올린 것은 빵의 질, 맛, 서비스가 아니라 배우 김수현이었어요. 2014년, 드라마 〈별에서 온 그대〉가 히트하면서 뚜레쥬르는 김수현 효과를 톡톡히 봐요. 상하이 홍췐루 뚜레쥬르 매장은 매출 신기록을 매일 세워요. 파리바게트는 전지현을 모델로 기용하면서 전지현 눈꽃빙수를 출시했지만 중국사람들의 김수현에 대한 사랑을 이기기 어려웠어요.

영원히 빛나는 별은 없죠.

별에서 온 그대는 별로 돌아가버렸고 무리한 점포 확장, 직원들 서비스 등도 문제가 되면서 뚜레쥬르 매출은 점차 하락해요.

2019년, 교민들 사랑을 받던 한국성 뚜레쥬르 매장을 철수하고 중국 사모펀드 호센 캐피탈에 매각하고 적자내던 중국법인 3개를 묶어 현물출자하고 브랜드 사용료를 받는 것으로 끝나요. 저는 그때 맞은 편에 살아 뚜레쥬르 매장에서 주방집기, 오븐 등 실려 나오는 모습을 봤어요.

2012년, 카카오톡 이모티콘에서 태어난 어피치, 프로도, 라이언은 카카오톡이 되지 않는 이 나라에서도 사랑받아요. 신기하죠. 중국 사람들은 카카오톡은 몰라도 카카오프렌즈는 알아요. 중국에서 다음과 카카오톡을 차단하면서 어려움을 겪던 카카오차이나까지 흡수하면서 카카오프렌즈 IX는 중국 사업을 확장해요

2020년 9월, 상하이 난징동루에 카카오프렌즈 플래그샵을 오픈해요. 난징동루는 우리나라 명동처럼 유명한 거리이고 좀 한다 하는 브랜드

는 여기에 매장 내야 브랜드로 인정받아요. 임대료 비싸기로 둘째가라면 서러울 난징동루에 카카오프렌즈 매장을 열어요.

저는 그때 베이징에 살았는데 카카오프렌즈 매장 구경하러 상하이에 갔다 와야 하냐 그런 농담도 했어요. 상하이에 관광 오는 한국사람들도 한번씩 들리는 난징동루 명소가 되어요.

카카오프렌즈가 가장 빛나는 시절은 2021년 9월, 베이징 유니버셜 스튜디오에 매장을 낼 때였어요. 유니버셜이나 디즈니랜드 이런 데 매장 내려면 어느 정도 네임밸류가 있어야 하는 지 다 알죠. 글로벌 브랜드 다 모이는 치열한 전쟁터에 우리나라 브랜드로 당당하게 매장을 열면서 카카오 프렌즈 네임밸류를 입증해요. 저는 그때 운좋게 유니버셜 정식 오픈 전 행사에 가서 유니버셜 스튜디오에서 놀고 카카오프렌즈 매장도 구경했어요.

카카오프렌즈도 힘들었나 봐요. 2022년 상하이 봉쇄 후 카카오프렌즈IX 차이나는 중국법인을 철수하고 라이센싱 사업만 하고 있어요.

한국에서 태어난 우리나라 브랜드 뚜레쥬르는 이제 중국으로 입양아로 살고 있고, 카카오프렌즈는 호적은 한국에 있지만 여기서 혼자 크고 있어요. 뚜레쥬르는 한 때 모든 중국사람들이 뚜레쥬르 빵만 먹을 것 같았던 호황기도 있었지만 지금은 가맹점비도 안 받고 가맹점을 낼 수 있는 평범한 브랜드가 되었어요. 난징동루와 유니버셜스튜디오에 단독매장을 내면서 브랜드 가치를 뽐내던 카카오프렌즈는 라이센싱으로만 만날 수 있어요.

이 두 브랜드가 콜라보한 케이크를 보니 달달함보다 씁쓸함이 느껴져요.

I
SH
문닫은 카카오매장 표지

TOUS les JOURS
with KAKAO FRIENDS
HAPPY MOMENT
WITH FRIENDS

51.한중수교 31년, 우리들의 일그러진 영웅

2023년 8월 25일

지난해 8월 24일에 한중수교 30년에 대한 글을 썼어요. 그후 1년이 지났고 올해 한중수교 31년차네요.

2주 동안 이렇게 중국에 대한 이야기로 한국 언론이 뜨거웠던 적이 있었을까요? 한국뿐 아니라 전 세계가 위아더월드 캠페인 하는 것처럼 중국걱정을 떼로 하고 있어요. 언제서부터 중국이 이렇게 관심을 사랑을 받았는지 얼떨떨해요. 중국 밖에서는 당장 은행이 도미노 파산하고 실직자가 넘쳐나고 거리에 노숙자가 넘칠 것 같이 보도하고 이야기하지만 이 안에서는 아무 일도 일어나지 않았어요. 모든 일상이 평온하게 돌아가는 데 중국 밖에서만 시끄럽네요. 다들 중국이 쓰러지길 여러 손 모아 한 마음 한 뜻으로 바라는 것 같아요.

중국이 시멘트로 경제 일으킨 것은 맞아요. 각 자방정부마다 다리 놓고 고속도로 깔았어요. 1968년, 우리나라 경부고속도로 건설할 때 많은 사람들이 비웃었고 IBRD는 시기상조라고 차관을 거절했어요. 지금 우리나라에서 경부고속도로를 빼고 무슨 경제발전사를 이야기할 수 있을까요?

전 중국 여행을 오래 했어요. 처음 제가 베이징에서 상하이로 여행왔을 때 기차로 하루가 걸렸어요. 지금은 빠른 기차 타면 4시간, 평균 5~6시간이면 베이징 상하이 왕복이 가능해요. 저도 중국여행을 하면서 할 때마다 길이 좋아지고 이용할 수 있는 교통수단이 늘어서 좋다고 생각했어요. 저 같은 여행객도 좋은데 사는 사람들에게는 더 좋은 일이겠죠. 길을 만들고 철도를 깔고 공항을 만들면서 사회 인프라를 만들어 나간 것이 그렇게 비난받아야 할 정책이었을까요?

지방정부마다 인프라 구축 경쟁을 한 것은 맞아요. 공항도 실제 수요보다 많이 지어진 지방정부도 있어요. 우리나라 공항들은 100% 효율적으로 다 잘 운영되면서 수익 올리고 있나요? 남한 면적과 비슷한 인구 8,000만 명의 장쑤성江苏省에 공항이 13개 있어요. 인구 5천만명의 우리나라에 공항이 15개 있다고 하네요.

중국의 부동산 금융은 유치원생도 할 수 있어요. 담보 잡고 대출하고 안 갚으면 담보 처분 후 상계, 이걸로 끝이에요. 서브프라임 모기지나 파생상품이 없어요. 금융기관끼리 서로 엮이는 게 없기 때문에 도미노로 넘어지지 않아요.

담보가 대출 금액보다 낮기가 어려워요. 보통 은행에서 집 값의 70%까지 대출해주는 데 DTI 있어 소득 대비 대출 나가기 때문에 보통 시세의 50% 정도 대출 나가요. 우리나라처럼 끝까지 빡빡 한도 긁어 대출 안 해줘요. 언론에서 말하는 것처럼 은행이 연쇄 도산하려면 중국 주택 집값이 지금 가격에서 50% 이하로 내려가야 하는 거죠.

중국도 한국도 마찬가지로 도시 집값은 내리지 않아요. 1,2선 도시 집값은 오르면 올랐지 안 내려요. 3,4선 도시에 빈 집 많지만 부동산 PF로 레버리지 일으킨 거고 그 부담은 부동산 개발상이 안을 거예요.

지금 화제가 되는 부동산 개발상 1위 업체 벽계원碧桂园 대출 총액이 전체 은행 대출에서 차지하는 비중이 0.05%예요. 지방정부의 토지사용권 매각 수입이 줄고 있고 담보가치가 하락하고 있는 것은 사실이지만 중국은 질서를 좋아해요. 정리를 하더라도 질서 있는 수순을 밟을 거예요.

중국경제 디플레이션이라고 하는데 상하이에 사는 저희는 디플레이션의 D자도 못 봤어요. 유명하고 인기 있는 식당 예약은 여전히 힘들고 집 한 채 값짜리 시계 차고 차 한 대 값 옷 걸치고 다니는 사람들은 1억명이 넘어요. **출산율 저하, 실업률 증가, 급격한 노령화율의 주어는 중국이라는 단수가 아니라 중국과 한국이라는 복수주어예요.**

중국 소비 안 한다, 성장 안 한다 걱정하지만 4~5% 성장하고 있어요. 우리나라보다 무역 규모와 거래 상대가 다각화, 다원화되어 있어요. 중국 호황 40년 중 30년은 우리의 호황이었고 중국 호황이 끝나면 우리들의 잔치도 끝나요.

지난 2주 동안, 아무 일도 안 일어났어요.

THE WALL STREET JOURNAL.

China's 40-Year Boom Is Over. What Comes Next?

The economic model that took the country from poverty to great-power status seems broken, and everywhere are signs of distress

A stalled highway construction project in Guizhou province, China. QILAI SHEN/BLOOMBERG

By Lingling Wei Follow and Stella Yifan Xie Follow
Aug. 20, 2023 12:01 am ET

〈WSJ, 2023.8.20〉 중국경제의 40년 부흥이 끝났다. 그 다음은? : 중국을 가난으로부터 G2로 만든 경제모델이 파괴되었다. 온 천지에 그 고통이 놓여있다.

월스트리트저널은 **"중국의 40년 경제 붐은 끝났다 (China's 40-Year Boom Is Over)"**고 단언한다. 최근

월스트리트 저널 기사 하나로 중국은 우리들의 일그러진 영웅, 엄석대가 되었고 다들 담임선생님에게 석대의 비리와 잘못을 일러바치느라고 바쁘네요.
당장 우리 집 앞마당에 흐르는 오염수부터 어떻게 해야 하지 않을까요?

코끼리가 넘어지면 그 밑에 누가 깔릴까요?

52.피로스의 승리

2023 년 9 월 22 일

'자다가 봉쇄'

지난 해, 상하이시에서 받은 중추철 선물이었어요. 올해 다행히 상하이에서 중추절선물(?)을 주지 않았어요. 올해 중추절과 국경절이 겹쳐 8 일 연휴예요. 상하이에서 출발하는 비행기는 비즈니스 좌석만 남아 있대요. 여행사마다 패키지 상품을 내놓고 떠나라고 하네요. 언제는 집 밖으로 한발자국도 나오면 안 된다고 가두더니요.

중국 디플레이션 이야기는 중국 밖에만 있는 단어인가 봐요. 여기서 사는 우리는 도대체 어디서 물가가 내렸다는 것인지 수능 정답도 아닌데 아무리 봐도 찾을 수가 없어요. 소비형태가 물건을 사는 유형소비에서 경험과 체험을 중시하는 무형소비로 바뀌고 있지만 대도시 유명식당들은 예약해야 하고 주말 쇼핑몰에서는 어깨 부딪치면서 다녀야 해요. 전 세계가 중국경제 침체를 걱정하지만 중국에서 돈 많은 사람은 중국경제를 걱정하는 사람들보다 많아요.

중국이 리오프닝하면서 세계경제를 끌어올릴 거라고 기대는 자기네들이 했어요. 중국이 전세계에 우리가 다시 오픈해서 세계경제 끌어주겠다고 한 적 없어요. 그동안 사람들은 위축이라는 내성이 생겼어요. 아직 풀리지 않았어요. 4 년동안 위축되었는데 금방 원래로 돌아갈 수 없어요. 돌아가지 못할 수도 있어요. 그렇게 가면서 새로운 뉴노멀 시대로 가는거죠.

올해는 아무 제약 없어요. 해외를 갔다 와도 중국 국내를 여행해도 되어요. 더 이상 어디 여행가서 봉쇄당할까 걱정 안 해도 되고 해외 갔다 올 때 코로나 PCR 검사와 입국자 격리를 안 해도 되어요. 이게 올해 제가 상하이에서 받은 `**중추철 선물**`인가 봐요.

고대 그리스 국가 왕
피로스 Pyrrhus 는 전쟁에서 승리했지만 전쟁에서 입은 막대한 피해로 결국 이기고도 물러나야 했어요. 이기지 못했던 로마는 전쟁에 졌지만 피해가 적어 충분히 복구가 가능했대요.

지금 제가 사는 시간은 2023 년, 21 세기인데요.
기원 전 280 년 전에 있었던 일을 여기 중국에서 겪었어요.

마르크스가 그랬어요.
역사는 두번 되풀이 된다고요.

"

한번은 비극으로
한번은 희극으로

"

중국 코로나,입국 정책 변경

2022년 6월 1일	상하이 봉쇄 해제
2022년 6월 28일	해외 입국자 격리 기간 단축 14+7->7+3일 (사실상 10일 격리)
2022년 11월 11일	해외 입국자 격리 기간 단축 7+73>5+3일 (사실상 8일 격리) 2차 밀접 접촉자 자가격리 폐지 및 추가 역학 조사 중단
2022년 12월 7일	PCR 검사 전수 조사 폐지 재택 치료 허용 위드 코로나 시작 중국 전역으로 코로나 확진자 급증
2022년 12월 13일	34개월만에 행적코드行程卡제도 폐지
2022년 12월 26일	코로나 감염병 관리등급 갑->을로 하향
2023년 1월 8일	34개월만에 해외 입국자 격리 중단
2023년 2월 1일	한국인 입국자에 대한 선별적 PCR 검사 실시
2023년 3월 27일	중국 내 환승시 144시간 경유 비자 재개
2023년 4월 29일	모든 나라 입국자에 대한 PCR 검사 폐지
2023년 11월 1일	입국자 헬스코드 健康吗 폐지
2023년 11월 24일	프랑스,독일,이탈리아,네덜란드,스페인,말레이시아 입국비자 면제
2023년 12월 8일	중국입국비자 수수료 75% 인하

시즌 1〈안나의 일기〉는 예상하고 쓴 글이 아니었어요. 그날 그날 봉쇄된 상황에서 일어난 일을 썼어요. 제가 어떤 의지나 의도로 쓸 수 있는 상황이 아니었어요. 시즌 2〈안나의 상하이 이야기〉는 중국 코로나관련 정책 변경과 그 과정에 일어난 일을 썼어요. 누구는 뭐하러 기억하냐고 해요. 남의 나라 살면서 그 나라 정책과 제도에 대해 뭐라고 이야기하냐고 해요. 맞아요. 로마가 아니라도 그 나라 법과 제도를 따라야하죠.

국가가 정했다고 무조건 받아들이고 순응해야 하는 건 아니죠. 그것이 옳은 지, 정당한지 되물을 수 있어야 한다고 생각해요. 다들 안 좋은 기억과 경험을 잊고 싶어해요. 저도 그래요. 그래도 기록으로 남긴 이유는 잊고 싶고 잊어버려도 중국 제로코로나 정책과 상하이봉쇄가 없었던 일이 될 수 없으니까요.

저는 여전히 상하이에 살아요. 이제 코로나도 봉쇄도 없는 상하이에서 어떤 일이 있는지 계속 기록하려고요.

시즌 3〈상하이에서 쓴 편지〉로 돌아올게요.